El joven y el mar

Rodman Philbrick

EL

JOVEN

Y

EL

MAR

TRADUCIDO POR IÑIGO JAVALOYES

SCHOLASTIC INC.

New York   Toronto   London   Auckland   Sydney
Mexico City   New Delhi   Hong Kong   Buenos Aires

El autor quiere agradecer a Paul Brown, de Kittery, Maine, por su sabiduría en el arte de atrapar langostas. Además, algunas de las increíbles habilidades físicas del atún rojo gigante fueron sacadas del libro de Douglas Whynot, *Giant Bluefin*.

Originally published in English as *The Young Man and the Sea*

Translated by Iñigo Javaloyes

This book was originally published in hardcover by the Blue Sky Press in 2004.

ISBN 0-439-76958-2

12 11 10 9 8 7 6 5 4   8 9 10/0

Printed in the U.S.A.   40

First Spanish printing, September 2005

Designed by Kathleen Westray

A MI HERMANO JONATHAN, QUE SABE
DÓNDE MORAN LOS PECES MÁS GRANDES,
Y A MIS TEMERARIAS SOBRINAS,
MOLLY Y ANNIE PHILBRICK

Índice

EL JOVEN Y EL MAR

1

Niño marisquero

ANTES de hablar del pez más grande del océano, de cómo intentó matarme y de cómo luego me perdonó la vida, hay que contar lo del barco que hacía agua, porque es allí donde empezó todo. Sin el barco que hacía agua no habría habido gran reparación, ni guerra de nasas, ni ángeles en la bruma.

Todo comenzó el último día de clases. Regreso de la escuela en mi cochambrosa bici desde lo alto de Spotter Hill. Los pájaros trinan y yo voy a tope, sin manos, con el viento en la cara. Ya se siente el verano en el aire, el olor a césped cortado y el aguijón de la sal que llega del puerto. Al fondo asoma nuestra casita y descubro que acaba de pasar lo que había estado temiendo durante meses.

Nuestro barco, la *Mary Rose,* se ha hundido en el embarcadero.

Me parte el corazón ver así a la *Rose*, con sólo parte del techo fuera y un brillo de aceite desangrándose sobre el agua. Un barco hundido es de lo más triste que hay. Da tanta lástima como para hacer llorar a cualquiera, pero yo no he llorado desde el día en que murió madre, por mucho que ese niño ricachón de Tyler Croft diga lo contrario.

Me he pasado meses achicando agua de la *Mary Rose*, levantándome antes del alba a bombear la sentina. Achicaba el agua para mantenerla a flote, por si a padre se le ocurría levantar su trasero de haragán del sofá y salir a faenar. Ahí es donde vive desde el día del funeral, tirado como un fardo delante del televisor. Hay veces que ni siquiera enciende la tele y se queda ahí tomando cerveza y pensando en las musarañas.

Y no es que sea un borracho como los de verdad. No me pega, ni se mete conmigo, ni nada de eso. Lo único que hace es quedarse ahí, sintiendo lástima de sí mismo, y tanto le da lo que le diga o lo que haga. Un día me pasé como diez minutos atacándolo, diciéndole que si era un borracho, que si lo único que sabía era empinar el codo y que para estar así, todo el día tumbado delante de la tele, lo mismo daba que estuviera vivo que muerto, le decía que qué pensaría madre si lo viera, pero ni así consigo que reaccione. Sólo resopla y dice: "Skiff, lo siento mucho", y luego mete la cabeza debajo de un cojín.

Ni siquiera sé si habla conmigo o consigo mismo, porque los dos nos llamamos igual. Samuel "Skiff" Beaman. En el embarcadero del pueblo nos llaman Skiff Grande y Skiff Chico, para distinguirnos, pero padre ya no baja al embarcadero. No hace nada de nada. Ni siquiera cuando llego a casa corriendo para decirle que la *Rose* se ha hundido.

—¡Padre! —le digo—. ¡Se ha ido a pique!

Se vira al otro lado y me mira de reojo. Tiene toda la barba apelmazada porque no se la ha peinado en meses. Se ve de lo más dejado y andrajoso.

—¿Ya estás de vacaciones? ¿Cómo ha podido pasar tanto tiempo?

—¡El barco se ha hundido! ¿Qué hacemos?

—¿Hacemos?—. Se echa las manos a la cara—.

Bueno, quizá podríamos reflotarla, pero volvería a irse abajo. Mejor no menearla.

—No se puede dejar un barco hundido en el embarcadero. ¡Eso no está bien!

Está claro que padre no quiere escucharme. Vuelve la cara hacia el otro lado, así que salgo corriendo y salto los escalones del cochambroso embarcadero, pero no hay nada que pueda hacer. Cuando un barco se ha ido a pique ya no puedes achicarle el agua. Ya sólo cabe esperar que se aparte la marea y tratar de subirla al bastidor con el cabestrante antes de que se vuelva a hundir. Así a lo mejor puedo encontrar la vía y taponarla. Solía haber un bastidor en el cobertizo donde guardamos las nasas, y ahí voy cuando aparece Tyler Croft en su bici de montaña de mil dólares y dice que me ve llorar, pero miente.

—Oye, Skiffy —dice haciendo una filigrana—. Me han contado que ese cascarón tuyo ha acabado por hundirse. ¡Menos mal! Ese barcucho infecto apestaba toda la ría. No era ni un barco, era una letrina.

—¡Cállate!

—¡Ay, pobre Skiffy! ¡Está llorando!

—¡No estoy llorando! —le digo buscando algo para

arrojarle, una manzana podrida o algo podrido para arrearle en su podrida cabeza.

—¡Skiffy está gimiendo y no estoy mintiendo! Skiffy Beaman vive en un estercolero, mea en una cubeta y caga sobre el suelo. ¡Oye, niño marisquero! ¡Tu madre está enterrada, tu padre es un borracho! ¡Vuelve a tu pocilga, cerdo mamarracho!

Llevo escuchando versiones de esa estúpida canción desde que Tyler Croft aprendió a hablar, así que ya no tiene mucho efecto. Lo único que consigue es que desee arrearle un buen manzanazo en la crisma, con una manzana verde y dura, entonces veríamos quién es el llorón.

Sólo encuentro un trozo de madera vieja. Se la tiro y fallo. Tyler se ríe de mí y se aleja gritando en su bicicleta.

—¡Se lo voy a contar a todo el mundo! —grita mirando sobre el hombro—. ¡El pequeño Skiffy Beaman ha llorado como un niño de teta!

Y eso es lo que va a contar, vaya que sí. Qué más da. Cuando toda la vida ya se te ha ido a pique, poco importa que te sigan echando lastre.

Aun así, ¡cómo habría deseado tener a mano esa manzana verde!

2

Marismeños

TENGO que admitir que lo que dice Tyler Croft es en parte cierto. Nuestra casita era antes un cobertizo, hasta que padre y madre se casaron y ella hizo que lo arreglara de arriba a abajo. Claro que yo no estaba ahí, pero he visto fotos. Ahora tenemos agua corriente dentro y fuera de la casa, pero padre nunca creyó que hiciera falta tumbar la vieja letrina con su media luna tallada en la puerta. Dice que le recuerda cómo eran antes las cosas, cuando para hacer tus necesidades en las noches de invierno tenías que salir con gorra y con botas, y aun así te pelabas de frío.

Recuerdo que cuando era bien pequeño, madre

siempre andaba detrás de él para que derribara la cochambrosa letrina, pero acabó acostumbrándose a ella y sembró un macizo de flores a su alrededor y hasta la pintó y todo, y le importaba poco que la gente se acercara a husmear, porque era la última letrina de todo Spinney Cove. Se podría decir que era una reliquia.

Padre viene de una familia de marismeños. Así es como llamaban en el pueblo a los más pobres. Los marismeños eran familias que vivían en chamizos junto a las marismas o a orillas de la ría, y se ganaban el pan mariscando almejas y langostas y vendiendo sal a los ganaderos. Cuando llegaba el otoño cazaban patos y barnaclas, y los vendían por barril a restaurantes de Boston. Lo que quiero decir es que vivían de lo que les daban las marismas y la ría. Esto fue así mucho antes de que naciera padre, pero como él era un Beaman siguieron llamándolo marismeño, porque todos los Beaman han sido siempre marismeños. Punto.

Madre es otra historia. Ella no era marismeña ni por asomo. Su gente eran los Spinney, que se asentaron aquí hasta que alguien dio su nombre al pueblo, o a lo mejor lo bautizaron ellos, lo mismo da una cosa que otra. Hay Spinneys ricos y Spinneys pobres y Spinneys que ni fu ni fa. Lo que no hay es Spinneys marismeños, y eso es algo que la familia de madre no dejó de recordar a padre. De eso puedo dar fe. A madre le disgustaban esas cosas y siempre defendió a padre. Decía que si te remontas aguas arriba por el río del tiempo, descubrirás que todos venimos del mismo sitio y que en el fondo da igual el nombre que lleve tu lápida.

En la suya dice Mary Roselyn Spinney Beaman. Se podría decir que ella conoció los dos mundos.

Hay algo, eso sí, que todos los marismeños tenemos en común, y es lo bien que se nos dan los barcos. Debemos llevarlo en la sangre o algo. Cuando cumplí nueve años, padre me construyó una pequeña chalana de madera contrachapada, le puso un viejo motor Evinrude de cinco caballos y me la dio por mi cumpleaños. ¡Vaya regalo!

Ahora tengo doce años, pero la chalana me sigue viniendo de maravilla y no hace ni una gota de agua. Padre decía, "un barco enterizo es un buen barco", pero ahora no le importa que la *Mary Rose* se haya hundido, así que reflotarla es cosa mía.

Lo único es que no tengo ni idea de por donde empezar, pues nunca he reflotado un barco hundido. Así que salto a mi chalana y remo por encima de donde se hundió la *Rose*. La veo ahí abajo tumbada sobre el lodo, pero sigo sin saber qué hacer. Mirarla tanto me descompone el cuerpo, así que remo aguas arriba adonde el Sr. Woodwell, a ver si a él se le ocurre algo.

Por suerte, se le ocurren bastantes cosas.

El Sr. Woodwell debe de tener un millón de años y ya apenas trabaja, pero hubo un tiempo en que más de la mitad de los barcos de Spinney Cove salían de su cobertizo. La *Mary Rose* la terminó antes de que yo naciera, y he visto una foto del viejo en la proa de la *Rose* el mismo día que la botaron. Hasta en esa foto parece un tipo callado y parece que la cosa ha empeorado desde entonces. Dicen que es tan tímido para hablar que pueden pasar semanas entre una frase y la siguiente. No digo que no sea verdad, pero a mí siempre me saluda. "Hola, Samuel —me dice—. Ven acá y cuéntame a qué se dedican los peces". Así que acerco la chalana al embarcadero y le cuento que ya se ha sacado algún eperlán, que ya pican caballas grandes o que están entrando las lubinas. Él no pesca —nunca ha pescado— pero le gusta saber esas cosas.

El día que se hundió la *Mary Rose*, el viejo Woodwell estaba plantando un macizo de flores en su patio trasero, que da a la ría. No me ve hasta que le grito. Como no lo podría escuchar desde tan lejos, me saluda con la gorra. Remo hasta su embarcadero, amarro mi chalana y subo por el herbazal hasta el porche.

—Hola, Sr. Woodwell.

—Hola, Samuel —dice mientras apelmaza la tierra negra alrededor de sus flores—. ¿A qué se dedican los peces?

—No lo sé —le digo—. La *Rose* se ha ido a pique y no sé como reflotarla.

El viejo Woodwell tarda un rato en levantarse y sacudirse la tierra de las manos.

—Anda, sube al porche —dice, y yo le obedezco.

Se va por una limonada y también tarda lo suyo. El Sr. Woodwell se demora tanto en todo porque va despacísimo, pero a mí no me importa. Ese viejo hace la mejor limonada del mundo, en su jarra de metal y con limones de verdad y azúcar blanca bien revuelta.

—Ahí tienes —dice, extendiendo el brazo—. Ese barco me tenía muy preocupado —dice y se deja caer en la mecedora—. ¿Has bombeado la sentina a diario?

—Antes de ir a la escuela lo achiqué del todo y al volver...

—¿Tu padre qué dice?

—Poca cosa.

—Así que es cosa tuya.

—Eso parece.

El Sr. Woodwell da un sorbo a su limonada y se queda mirando la ría.

—No pienso hablar mal de tu padre —dice.

—Él me da igual —le digo—. Lo que me importa es la *Mary Rose*.

El viejo me clava la mirada para comprobar que le digo verdad y verdad le digo.

—Entonces de acuerdo —dice—. Soy muy viejo para ir por ahí reflotando barcos hundidos. Si apenas puedo levantar un martillo, qué decir de un casco de treinta y seis pies.

—Pero usted me puede decir cómo hacerlo.

—Sí —responde—. Eso sí.

3

Reflotada con barriles

E L viejo Woodwell me ha dado una lista de las cosas que necesito para reflotar a la *Mary Rose*. Cincuenta pies de cabo, una tabla de diez pies y unos cuantos barriles. Supongo que él sabía lo a mano que tendríamos todas esas cosas. En todos los embarcaderos de la ribera hay barriles, cuerda y uno o dos maderos; pero a lo que iba, lo primero que hago es sacar la cuerda del cuarto de la carnada. Luego saco una tabla de la pila de madera y la pongo en el embarcadero. La tabla verdea un poco de musgo por la arista, pero aún parece recia. Detrás del cuarto de la carnada hay media docena de barriles de acero. Saco rodando los cuatro con menos herrumbre. En todos se oye un chapoteo de agua de lluvia, así que los voy inclinando uno por uno hasta vaciarlos y luego aprieto los tapones lo mejor posible.

El Sr. Woodwell me dijo que cuatro barriles levantarán unas dos mil libras, más o menos, que eso bastaría para desplazar la quilla. Me dijo que preparase ese aparejo y que la marea se encargaría del resto.

Su idea es atar un barril en cada extremo de cada madero, que irían a babor y estribor de la *Rose*, y luego pasar dos amarras bajo la quilla, a proa y a popa, y atar los maderos entre sí.

Cuando empiece a subir la marea, los grandes barriles de acero flotarán y tirarán del barco hasta la superficie.

—Eso va a ser coser y cantar —le digo.

—No tiene por qué ser difícil si usas la cabecita y aplicas un mínimo de física elemental.

A primera vista no dirías que el Sr. Woodwell es muy listo, pero vaya que sí. Padre dice que un buen constructor de barcos debe tener un tanto de artista y otro tanto de científico. Desde luego, fue la parte científica la que me ayudó a reflotar nuestro barco.

Y no lo digo porque le importe lo que está pasando. Ni siquiera asoma la cabeza para ver qué es toda esa escandalera de martillazos metálicos. Tampoco reacciona después de pasarme el día hablando solo y diciendo cosas como "lástima que nadie me eche un cable" o "no me vendría mal una ayudita para mover este muerto de madero" o "¿quién sabe cómo hacer un buen nudo?", y otras cosas por el estilo.

Al final me doy por vencido y me concentro en amarrar los barriles como me dijo el Sr. Woodwell. Sí, parecía muy sencillo, pero montar todo el aparejo me lleva toda la tarde y parte de la noche. No pasa nada, la marea no empezará a cambiar hasta las nueve de la noche.

Cuando termino queda aún una hora para que la marea empiece a subir, así que me pongo a preparar la cena. Últimamente, padre no presta demasiada atención a la comida, pero hay que comer.

—No te molestes —dice desde el sofá.

Quiere hacerme creer que está viendo un programa.

—No es ninguna molestia —le digo—. Lo mismo da guisar para uno que para dos. Vas a necesitar todas tus fuerzas para ayudarme con el barco.

Padre resopla como si le faltara aire.

—No vas a poder reflotarla. Y si lo consigues, se hundirá enseguida.

—A lo mejor no.

—En cuanto el agua salada se mete en el motor, lo mata sin remedio. Y un barco sin motor es una chatarra inútil.

—Toma. Cómete tus espaguetis.

Los espaguetis con salsa de tomate de frasco no me salen nada mal. Lo único que hay que hacer es mezclarlos con salchichas fritas y cebolla y luego cubrir todo el mejunje con queso rallado. Los espaguetis me encantan, la verdad; pero lo que nos corresponde por ley es bacalao fresco y langosta, lo único que para pescarlos hace falta un barco. Y si padre no se digna a hacerlo, lo haré yo solo.

Ya lo tengo todo pensado. Reflotar el barco, cerrar la vía de agua, reparar el motor y salir a faenar. Aunque me falte altura para pilotar a la *Rose,* si me subo a un cajón de plástico de esos de repartir leche, podré ver de maravilla. Será emocionante pescar por mi cuenta; y cuando padre se entere de que ando yo solo con las nasas, le dará vergüenza y se vendrá conmigo.

Ese es el plan, pero cuando padre saca una cerveza del refrigerador y se sienta delante de la tele, lo único que se le ocurre decir es, "Anda con cuidado. No soportaría que te ahogues".

Le digo, "Podrías echarme una mano", pero ni contesta.

La mar está serena, como se pone cuando se va el sol y la marea está a punto de cambiar. Está como si el mundo entero aguantara la respiración y tú quisieras aguantar también la tuya para que ese momento durara por siempre. Me monto a horcajadas en el tablón para azocar un poco los nudos. Lo único que queda es esperar y desear que funcione el plan del viejo Woodwell, que la marea levante el barco.

Lo único que tienen que hacer los barriles es subirlo a la superficie. Después no hay más que tirar de él hasta la orilla. También he preparado un cabestrante de una tonelada con el que sólo hay que dar a la palanca. Eso fue idea mía, y el Sr. Woodwell dijo que estaba bien.

Pienso en todas estas cosas al mismo tiempo: la marea subiendo, los barriles flotando sobre el barco hundido, qué le habrá pasado al barco al hundirse y qué se habrá estropeado con el agua; pienso en padre repantigado en su sofá; y en el verano, que se extiende ante mí como un gigantesco tren azul.

Tengo la cabeza tan ocupada que no oigo llegar al capitán Keelson en su barca.

—¡Skiff Beaman! —Pega tal grito que me hace dar un respingo—. ¿Qué se cuenta hoy, Skiff Chico?

El capitán Keelson está apoyado en sus remos. Hasta en la oscuridad veo la preocupación en su rostro. No es ni la mitad de viejo que el Sr. Woodwell, pero es bastante viejo. Dice que remar lo mantiene joven, pero la verdad es que a mí no me lo parece.

—El barco se ha hundido.

—Ya lo veo —dice con asombro—. ¿Has amarrado todos esos barriles de metal tú solo?

—El Sr. Woodwell me dijo cómo hacerlo.

—¡Ajá! ¿Y después de reflotarla qué harás?

Le cuento lo del cabestrante. Se queda pensando y dice con su hablar pesado:

—Tiene que funcionar. ¿Y tu padre?

—Acaba de ir por algo, enseguida sale.

—Le das recuerdos, ¿eh?

Luego se desliza muy despacio aguas abajo, acariciando el agua con las puntas de sus largos remos.

Ojalá yo también pudiera alejarme de todo y de todos, bogando con la corriente hacia las tinieblas.

Ese pensamiento me agota, de manera que me tumbo sobre el embarcadero para escuchar el rumor de la corriente entre los pilotes. El movimiento del agua suena como una voz agotada que pide silencio, y antes de darme cuenta me quedo como un tronco.

Sueño que la corriente nos arrastra a la profundidad de la noche y que busco los remos, pero no los encuentro. Busco la orilla, pero la he perdido de vista y no puedo hacer nada por salvarme. Quiero pedir ayuda pero no me sale la voz, aunque da lo mismo porque nadie puede oírme.

Lo que acaba por despertarme es el sonido hueco de los barriles golpeando las rocas, *bonc, bonc*. Y el techo de la *Mary Rose* resucitada, blanco como la luna. Y el deseo enorme de empezar a repararla.

4

Una herida profunda

PADRE no sale ni una vez a ver el barco. Cuando voy a despertarlo al sofá y le digo que la *Mary Rose* ha resucitado, me mira confundido.

—¿Cómo lo hiciste? —pregunta.

Cuando le hablo del aparejo de los barriles, me mira incrédulo.

—¿Por tu cuenta y riesgo? —pregunta desconfiado, como si le hubiera dicho que había viajado a la Luna de ida y vuelta—. ¿Un muchacho de trece años y chaparro para su edad?

—¡No soy tan bajito! Hay cientos de muchachos de mi edad más chaparros que yo. Además, todo consiste en usar la cabecita y un mínimo de física elemental.

Sabía que esas palabras le chocarían, al menos hasta que reconociera que eran del Sr. Woodwell; pero por muy impresionado que se mostrara, no bastó para que levantara las posaderas del dichoso sofá y saliera a ver a la *Rose* con sus propios ojos.

Me duele hasta el alma de tanto darle al cabestrante, pero la emoción me desvela. Salgo al embarcadero y me quedo bajo las estrellas contemplando a la *Mary Rose*. Está preciosa. Lo que no se puede ver en las sombras de la noche son sus heridas o el daño que de seguro tendrá el motor. Por la noche no se ve peor que la última vez que la sacaron a darle una mano de pintura, hará cosa de un año.

Dicen que todo tiene arreglo si pones el empeño necesario. Y eso es lo que me propongo hacer, pase lo que pase.

Al día siguiente me levanto con el alba y empiezo a moverme por la cocina de aquí a allá, como un león enjaulado. Eso es lo que decía siempre madre cuando se me metía alguna idea en la cabeza. Esta mañana la primera idea es hacer unos panqueques y luego arreglar el barco. Los panqueques me enloquecen. Eso también lo decía madre. Supongo que ahora la tengo presente por lo del barco. Padre no quiere ni oír hablar de ella, dice que recordarla lo deprime, que para qué recordar y que lo mejor es no pensar en ello.

De momento está haciendo muy bien eso de no pensar en nada, aunque, eso sí, nunca se resiste a un plato de panqueques.

—¿Son de la marca de siempre?

—¿Qué pasa, no están buenos o qué?

—No, no, Skiff, están fenomenal, riquísimos. Quería decir... me recuerdan... da igual.

No se supone que los panqueques te pongan la cara larga, pero ahí lo tienes, casi a punto de llorar. A mí no, ni hablar. Yo estoy como una rosa y no pienso dejar que su cara de muermo me estropee lo que tengo pensado para esta mañana, que es arreglar el barco, comerme mi almuerzo y salir a pescar.

El barco tiene otros planes. Me asomo a la quilla y veo que una tabla entera se ha soltado. Al darle con la punta de la navaja noto que la madera está blanda, que se deshace. Se ha podrido. No se me ocurre nada, así que me encaramo al barco, levanto una tabla de la cubierta y me asomo al interior.

Lo que está claro es que si ves entrar luz por el casco, mala cosa. Esto está feo, muy feo. Me preocupa que todo el barco esté podrido, que no lo pueda arreglar, que no vuelva a flotar nunca más, que mis planes para el verano sean una majadería y que Tyler Croft tenga razón y yo no sea más que un pobre diablo marismeño.

O a lo mejor es que he comido demasiados panqueques y el sirope se me ha subido a la cabeza. Madre solía decir que las cosas no se arreglan mirándolas, y como ni sé por dónde empezar, arranco el motor de la chalana y marcho a donde el Sr. Woodwell.

Al llegar me lo encuentro en el cobertizo donde hace años construía sus barcos. Es un cobertizo de techo alto, espacioso y con unos tragaluces por donde entran columnas de sol y donde aún huele a virutas de madera fresca.

Lo veo de pie junto a su banco de trabajo, pero no hace nada. Está como ausente con su pipa de maíz humeándole en la mano. Así, mirando el gran cobertizo vacío, parece como si recordara cada uno de los barcos que construyó a lo largo de su vida.

—¡Hola, Samuel! —dice—. ¿Subió la *Rose*?

Le cuento que todo ha salido como dijo, que la *Mary Rose* está reflotada y seca, pero que no sé qué hacer. Le cuento que una de las tablas se ha soltado de la quilla y que tiene bastante mala pinta.

El Sr. Woodwell le da algunas caladas a su pipa.

—Tu padre podría arreglarlo sin problemas. Él sabe bastante de esas cosas.

—No está de humor para arreglar nada.

—¿Y tú? ¿Estás dispuesto?

—Claro, pero no sé cómo.

El viejo se queda pensando y me envuelve en su mirada de mar plomizo. Habla con mucho cuidado, como siempre, midiendo muy bien todas sus palabras.

—Estás dispuesto a aprender, eso está claro —dice aguantando una bocanada de humo—. Tendré que evaluar los daños. Sí, eso será lo primero. ¿Crees que me puedes llevar en tu chalana hasta allí? ¿Al lugar de los hechos?

El viejo tarda una eternidad en pasar del embarcadero a la chalana, pero ni se me ocurre apurarlo. Finalmente se acomoda, voy remando hasta la ría y dejo que nos lleve la corriente.

El Sr. Woodwell va con una mano en el agua y con la mirada sonriente puesta en los enormes pinos de las orillas.

—Hace mucho tiempo que no iba por la ría —dice—. Te lo agradezco.

—Yo no he hecho nada. Es usted quien me está haciendo el favor.

El viejo aguanta una risotada.

—Siempre al grano, ¿eh? Igual que tu padre. ¿Sabías que él trabajó para mí cuando era poco más o menos de tu edad?

—Claro —le digo—. Aún presume de eso.

—Todavía, ¿eh? Magnífico aprendiz ese Skiff Grande, ya lo creo. Entendía todo a la primera y trabajaba duro. Repetía las cosas una y otra vez hasta que le salían bien, fuera lo que fuera. Tu padre podría haber sido un constructor de barcos extraordinario, pero la mar tiraba más de él. Siempre quería estar entre la mar y el cielo. Sí señor, ese hombre era un pescador de raza. Nunca ha habido arponero igual en todo Spinney Cove, de eso puedes estar seguro.

—Es posible.

—Aún sigue siéndolo, muchacho. Dale tiempo.

—Sí, señor, eso haré.

Eso haré, le digo, pero en realidad lo que pienso es que qué se puede hacer con un hombre que lloriquea cuando le haces panqueques.

Ayudo al Sr. Woodwell a pasar de la chalana al embarcadero y es increíble lo liviano que resulta para ser una persona mayor. Es como si tuviera el esqueleto hueco o algo así.

—¡Arriba! —dice, enderezándose—. Dame un minuto, muchacho. Si me muevo demasiado rápido, mi cabeza se olvida de dónde está mi cuerpo.

—Sí, señor.

—¿Sabes cuántos años tengo, Samuel?

—No, señor.

—En agosto cumplo noventa y cuatro. Ya era un viejo cuando tu padre trabajaba para mí, y de eso ya hace tiempo.

—Sí, señor.

—Mis ojos ya dan poco de sí, pero aún puedo ver las cosas al tacto. ¿Entiendes?

—Sí, señor.

—Si te digo esto, muchacho, es porque voy a tardar bastante tiempo y voy a tener que pedirte que seas paciente. Y porque sé que, como norma, los muchachos de tu edad no son criaturas pacientes.

Le aseguro que no diré nada, pero tanta espera pone a prueba mi paciencia. Ver secar la pintura fresca es como una carrera de bólidos comparado con ver al Sr. Woodwell inspeccionando a la *Rose*. Pasa sus larguísimos y huesudos dedos por toda la superficie del barco, siguiendo la quilla de proa a popa. Tiene que agacharse para meterse debajo del barco, y al hacerlo le duele todo el cuerpo. Lo miro a la cara y leo en su mirada que es mejor no decir nada, así que a mirar y a callar.

Cuando el viejo ha salido de debajo del barco, ya es mediodía.

—Ayúdame a levantarme —dice alargando la mano.

Lo ayudo. El viejo respira hondo y se equilibra para no dar un paso en falso.

—Podría estar peor —dice.

—¿El barco? —le pregunto—. ¿O usted?

El Sr. Woodwell se ríe tanto que se le saltan las lágrimas.

—Ay, Samuel, mira que eres salado. —Da una bocanada de aire que le pita en la nariz—. Sí, el barco. Hay tablas de aparadura podridas a ambos lados de la quilla, pero la quilla en sí ha aguantado bien. No hay nada que no se pueda enmendar. No veo por qué la *Mary Rose* no pueda quedar como nueva.

Oír eso me alegra mucho, tanto que corro a mi casa a contárselo a padre, aunque ahora lo mismo le dé una cosa que otra.

5

El ataque de los vampiros del lodo

No he acertado del todo. Al fin y al cabo, padre parece estar contento de que haya sacado el barco y de que el Sr. Woodwell me esté ayudando a repararlo.

—El buen Amos —dice padre, sentándose en su sofá—. Casi se me había olvidado que sigue vivo. Amos Woodwell, sí señor. Él me echó una mano cuando la necesitaba de verdad, hace ya mucho tiempo.

—Dijo que podías haber sido un gran constructor de barcos, si hubieras querido.

—¿De veras? —dice padre, fingiendo alegrarse—. No sé. Hubo un tiempo en que lo seguía a todas partes como un perrito faldero. Por aquel entonces las cosas no iban bien en casa, así que me quedé a vivir en el cobertizo de Amos Woodwell todo el verano y alguna que otra noche del otoño. Me enseñó bastantes cosas y no sólo sobre barcos.

—El Sr. Woodwell dice que no hay nada de la *Rose* que no se pueda reparar.

Padre asiente y se frota los ojos.

—Amos sabe lo que dice. La *Rose* fue uno de los últimos barcos en salir de su cobertizo.

No había visto a padre poner interés en nada desde hacía mucho tiempo, pero dura poco. Cuando empiezo a decirle qué tablas vamos a quitar y cómo vamos a hacerlo, lo miro a los ojos y veo que no me escucha; poco después lo veo suspirando con la mirada fija en el televisor. Eso es lo que más me saca de quicio, los suspiros.

Sí, ya sé que un buen hijo tiene que tratar a su padre con respeto, pero no puedo evitarlo. Le digo, "¡Padre! Voy por la caja de herramientas. ¿Recuerdas la caja de herramientas? Se usan para trabajar. Destornilladores, martillos. ¿Te acuerdas?", y cosas por el estilo.

Para el caso que me hace igual hubiera dado que hablase con el televisor.

La *Mary Rose* me espera recostada, como un perro herido que espera a que lo curen. Dice el Sr. Woodwell que lo único que necesito ahora es un destornillador y una palanca, pero también he traído un martillo por si las moscas, no sea que tenga que atizarle a algo.

—Hola, Rosita —le digo, y me deslizo hasta abajo, huroneando hasta donde la quilla se hunde en el lodo.

Caen gotas por todas partes porque las tablas no han sudado aún toda el agua. Además, hay muchas lapas y tengo que andarme con ojo, porque si las tocas por el lado malo cortan como cuchillas de afeitar.

—Rosita, el Sr. Woodwell me ha dicho que tengo que sacar estas tablas. Espero que no te importe.

Ya sé que parece una locura ponerme a hablar así con un barco, pero la verdad es que le he hablado a la *Rose* desde bien chico. Madre decía que sólo me preocupara si el barco me contestaba. Todavía no ha llegado ese día, ni creo que llegue, pero yo no dejo de intentarlo.

—No te has hundido por tu culpa —le digo—. Hemos sido nosotros los que no te hemos cuidado bien. Bueno, aguanta un poco, esto no te va a doler

—le digo, tratando de pasar la palanca a lo largo de la tabla suelta. Hay que hacerlo con mucho cuidado, porque dice el Sr. Woodwell que la necesitamos lo más entera posible para que nos sirva de patrón. No quiero forzarla, pero la tabla podrida se resiste, así que tengo que dejar la palanca y arrancar uno a uno los tornillos que afirman las tablas a las cuadernas.

Me demoro casi un día entero en sacar los tornillos. Y tengo que pedirle perdón al barco por blasfemar cada vez que me raspo los nudillos con las dichosas lapas.

—¡Ah! Miserable... apestosa... sucia... estúpida lapa.

Cuando todavía sigo peleándome con la primera tabla, noto un fuerte mordisco en la espalda. Me levanto rápidamente y al hacerlo me golpeo la crisma con la madera, lo cual no mejora mi vocabulario. Y entonces vuelve a apretar y noto una maraña viscosa en los calzones, revolviéndose y mordiéndome por todas partes.

Salgo a toda prisa de debajo del barco y hasta que no logro ponerme de pie no me doy cuenta de qué está pasando. ¡Gusanos del lodo! Llevo tanto tiempo tumbado y sin moverme que han acabado encontrándome.

Estallo de rabia, pero también estoy asustado porque han hecho presa y no aflojan.

Lo único que se me ocurre hacer es quitarme los pantalones y tirarme al agua. Menos mal que funciona. El agua fría y una buena sacudida hacen que esos demonios suelten, pero ahí no acaba la cosa. En cuanto regreso a la orilla y agarro mis pantalones aparece el mono aullador de turno. Un mono llamado Tyler Croft.

—Buuuuu. ¡Marisquerito! ¿Es ahí donde te bañas, en ese arroyo apestoso?

Vaya suerte. Tyler y dos de sus amiguitos ricos, Joey Gleeson y Parker Beal. Parker es de mi estatura, más o menos; pero cuando va con Tyler, se pone de gallito que no hay quien lo aguante. Ahí van los tres, pavoneándose en sus bicicletas de marca.

—¡Oye, Skiffy! —salta Parker Beal—. ¿Es barro eso que llevas en los calzones o es que te has *cagao* encima?

—Ven y compruébalo tú mismo —le digo.

No viene, claro, no sea que se le manchen sus deportivos de cien dólares. Pasado un rato se hartan de insultarme y se alejan riéndose.

Quizá debería enfadarme, pero me parecen tan estúpidos que no me los puedo tomar en serio.

Gusanos chupasangres del lodo, *esos* sí que son cosa seria.

Ni se me ocurre comentarle a padre lo de los gusanos. Seguro que me diría que un marismeño como yo debería saber qué pasa si te quedas tumbado en el lodo. De todas formas, para cuando he terminado de asearme, él ya se ha tomado unas cuantas cervezas y no quiere ni hablar.

Como digo, hay otros padres que cuando se ponen a beber revientan la casa o les pegan a sus mujeres o mucho peor. Padre no. Él sólo se queda tumbado en el sofá sin decir nada. Si sé que ha estado chupando es por el olor a cerveza y su respiración honda y pesada.

—Hola —le digo—. ¿Te importa si me quedo a ver la tele?

Da un gruñido que significa "adelante", así que me siento en la cochambrosa sillita que hay junto al cochambroso sofá y me quedo mirando la tele. Al menos están dando un programa que me gusta. Es una serie sobre policías y abogados que resuelven crímenes y donde al final se aclara todo. ¡Qué estupendo sería que todo se pudiera resolver así, que al reflotar yo el barco, mi padre dejara de beber y dijera "borrón y cuenta nueva" o algo!

En el mundo real las cosas no son tan sencillas. Aun así, con cerveza y todo, no está nada mal esto de ver un programa en la tele los dos juntos, y a lo mejor hasta estamos pensando las mismas cosas.

Al final se queda dormido antes de que termine el programa. Como ya sé lo que va a pasar, apago el televisor y digo, "Qué sueñes con los pescaditos verdes".

Cuando voy por las escaleras, padre balbucea:

—Eso es lo que decía tu madre.

—Aún lo dice —le contesto, porque la verdad es que la oigo en mi cabeza.

Padre no dice nada.

6

Somos los mejores

UNA de las cosas que más me gusta del cobertizo del Sr. Woodwell es el olor a barniz y a virutas de madera. Es como si al respirarlo se me despejara la cabeza. Hasta el humo de su pipa de maíz huele bien en ese viejo tinglado.

Arrastro las tablas podridas al cobertizo y me encuentro al viejo sentado ante su banco de trabajo. Está afilando su escoplo con una piedra de aceite.

—Hola, Samuel —dice sin levantar la mirada—. Ponlas encima de los caballetes, haz el favor. Ahí, sobre esos tablones de cedro.

Las pongo y me froto las manos en los pantalones.

—He tardado bastante más de lo que creía.

El Sr. Woodwell asiente.

—Eso es lo que pasa con los barcos —dice, y envuelve los escoplos en un paño.

Busco en mi bolsillo izquierdo y saco un sobre.

—Sólo tengo veintiocho dólares para la madera nueva —le digo—. Así que lleguemos hasta ahí y ya.

El viejo se me queda sonriendo.

—Había pensado cobrarte lo que me costó a mí, ni más ni menos —dice—. O sea, ni un centavo.

—¿Se la regaló alguien?

—Mi padre, hace muchos años. Me dejó toda una parcela de cedro blanco de primera calidad. Con esa madera empecé mi negocio de construcción de barcos. Algo había que hacer con tanto tronco, ¿o no?

—Claro.

—Así que guárdate todo ese dinero. Te hará falta eso y mucho más para reparar el motor cuando llegue el momento.

Nos acercamos a los caballetes, y me enseña a afirmar con mordazas la vieja tabla a la nueva para marcar el contorno de una sobre otra. Después me pide que quite las mordazas y que lleve la tabla marcada al banco de sierra.

—Hay que andar con cuidado —dice—. No quiero que acerques las manos a la cuchilla.

—¿Quiere que la corte yo?

—Mis ojos ya no son lo que eran, Samuel. No veo la línea. Yo te diré cómo hacerlo. Regla número uno: no te precipites. Regla número dos: deja que sea la cuchilla la que corte la madera. Regla número tres, especialmente para principiantes: cuando cortes, no te acerques demasiado a la línea.

Ponemos la tabla nueva en la mesa de aserrar. El viejo presiona un botón y la sierra empieza a dar vueltas.

—Deslízala hacia adelante —dice, colocando una mano sobre la tabla, junto a la mía. El viejo nota que temo equivocarme y estropear la tabla—. ¿Sabes gobernar un barquito por una corriente? —pregunta.

—Pues claro. Así es como he venido hasta aquí.

—Suponte que la tabla es tu barco. Tienes que llevar la tabla de manera que la cuchilla quede a ese lado de la línea.

Creo que lo entiendo. Al principio avanzo con torpeza y con miedo a que la cuchilla se me adelante, pero todo va sobre ruedas cuando comprendo que lo que se mueve es la tabla, no la cuchilla, y que no va a pasar nada hasta que yo lo decida.

Cuando he terminado de cortar, el Sr. Woodwell me pide que afirme la pieza en el tornillo del banco mientras él saca el cepillo de contrafibra.

—Esto aún puedo hacerlo yo —dice.

Lo que hace es buscar la marca del lápiz y cepillar la madera, dejándola bien bruñida hasta el borde de la línea.

—¿Cómo voy? —pregunta—. Si la línea desaparece, avísame.

—Va muy bien, Sr. Woodwell —le digo—. Perfecto.

El Sr. Woodwell sonríe y hace un gesto de aprobación, como si no estuviera seguro de poder hacerlo hasta el mismo momento de empezar.

Después de dar forma a la nueva tabla nos damos un respiro. El Sr. Woodwell se fuma una pipa y yo me tomo una limonada y como unas galletas para no perder energía. Agarro una galleta y me pongo a fisgonear por el cobertizo. Veo un gran arpón colgado de la pared. Es un arpón viejo medio escondido entre las sombras.

Es uno de esos arpones finos y criminales que se usan para cazar atunes gigantes, como los que cobraba padre antes de pasarse a la televisión y a la cerveza.

—Era de tu padre —dice el Sr. Woodwell—. Lo hizo él mismo el año que se quedó a trabajar conmigo. Ese arpón es su último trabajo. Lo dejó aquí de recuerdo.

—¿De recuerdo?

—Sí, como muestra de amistad. Algo que sirviera para recordarlo.

El Sr. Woodwell parece dispuesto a contarme más cosas, pero no se atreve. Se da cuenta de que no estoy de humor para hablar de padre, ni de lo buen arponero que fue en su día o de los peces tan grandes que cobraba en sus buenos tiempos.

Cuando termina de fumarse su pipa, el viejo regresa al banco y saca un cepillo diferente. Me explica que la nueva tabla necesita un borde achaflanado para que quede bien encajada a la quilla.

—Esta es la parte más complicada —dice enseñándome lo que hace—. Por suerte conozco bastante bien esa quilla y recuerdo donde empieza a curvarse.

—¿Quiere que lo haga yo?

—Mejor fíjate bien y comprueba que no meta la pata.

El viejo me está tomando el pelo, por supuesto. Apostaría cualquier cosa a que hace mucho tiempo que no mete la pata. Se ve en la forma que agarra el cepillo y cómo lo desliza por el canto de la madera. Y en cómo hace que salgan las virutas, tan finas y perfectas, como alitas de madera rizada.

—¿Hueles eso? —pregunta—. Es cedro recién cortado, como el que ponen en los baúles y en los armarios para que no entren las polillas. Esta madera en particular ha estado curándose en este cobertizo durante cerca de veinte años y, ¿ves?, aún se deja cortar como si fuera nueva. Incomparable.

Tardamos el resto del día en preparar el resto de las tablas. Al terminar, el Sr. Woodwell me pide que demos un paso atrás para admirar nuestra obra.

—No está mal —dice con un gesto de satisfacción—. Nada mal para un muchachito y un abuelito con ojos de topo. Creo que formamos un buen equipo. ¿No te parece, Samuel?

—Sí, señor —le respondo—. Somos los mejores.

7

El timbre del algodón

ME demoro dos días enteros en colocar las nuevas tablas. Aprendí la lección con los gusanos del lodo, así que me llevo un viejo trozo de contrachapado para tumbarme encima. Luego afirmo las tablas a las cuadernas con las mordazas, tal y como me dijo el viejo, y perforo nuevos agujeros para colocar los tornillos nuevos. Los atornillo todos, ciento diez en total, lo cual me lleva una eternidad. Luego coloco los protectores que cubren los tornillos y tardo otra eternidad.

He tenido que aprenderme al dedillo la panza de este barco. Cada rasguño y cada costura, cada lugar en que ha habido que enmendarlo.

—Ya queda poco —le digo una y otra vez—. En un día más estarás flotando tú solita. Con un poco de suerte a lo mejor sigue funcionando el motor y me puedes llevar a pescar y a ganar un dinerito, ¿verdad, Rose? Siempre has tenido buen olfato para los peces.

El capitán Keelson vuelve a aparecer en su barca y supervisa mi trabajo. Él fue capitán de remolcador y, aunque los remolcadores son de acero, sabe un par de cosas sobre barcos de madera. Me da el visto bueno.

—Me ha llamado Amos Woodwell —dice—. Me ha pedido que te ayude a calafatear el casco cuando estés listo, con tu permiso.

¡Qué risa! Un señor hecho y derecho como el capitán Keelson pidiendo permiso para ayudarme. Lo del calafateado me preocupa, porque dice el viejo que si no se hace bien el barco seguirá haciendo agua, hasta con tablas nuevas.

Cuando *Rose* y yo estamos listos, llegan el capitán Keelson y el Sr. Woodwell en la furgoneta Ford roja del capitán. El viejo llega con una bolsa de herramientas de lona llena de cinceles, un mazo de madera y una madeja de un algodón blanco y esponjoso. Se lo pasa al capitán Keelson.

—No desafines, Alex —dice Woodwell—. A ver si das la nota.

De lo que se trata es de ir metiendo el algodón en la juntura que se forma entre la tabla y la quilla. Esto se hace con el cincel de calafatear, que es como un cincel normal pero con el filo más ancho y más romo. Luego le das con la maza de madera para meter el algodón a presión. Si lo haces bien, el cincel hace un sonido de timbre a cada golpe de maza. Luego, cuando la madera se moja y se dilata, empuja con fuerza el algodón y evita que el agua se cuele por la costura.

El Sr. Woodwell asegura que esto se ha hecho así desde que se construyó el primer barco. Dice también que no me preocupe, que va a funcionar a la perfección.

Mi trabajo consiste en ir poniendo el cincel a lo largo de la juntura mientras el capitán Keelson le da golpes, *bump, bump,* con su enorme mazo de madera.

—Haré lo posible por no errar —dice.

Y no yerra. Ni una sola vez en dos horas, lo cual es de agradecer. A pesar de todo tengo las manos adoloridas de agarrar ese hierro. Al final es como si el timbre de la maza me saliera a mí de los huesos.

Cuando terminamos con el algodón, el capitán Keelson sale de debajo del barco y se sacude el polvo.

—Bueno, el resto te lo dejo a ti —dice.

El capitán y el Sr. Woodwell se sientan en el embarcadero y se quedan mirando cómo relleno las junturas con masilla. Y no dejan de bromear.

—¡Esto es vida, ver a un muchacho hacer un trabajo de hombre! —dice uno.

—Pega bien la masilla o se te pegará ella a ti —dice el otro, y se pasan así un buen rato, pero no me molesta. Estos viejos sólo te toman el pelo si les caes bien.

Cuando salgo de debajo del barco, el capitán Keelson menea la cabeza.

—Jovencito, espero que hayas puesto la misma cantidad de masilla en el casco que en tu cara.

Le habría dicho algo, pero estoy demasiado cansado como para seguirle la broma.

Aunque no puedo con mi alma, me muero de ganas de que llegue el día siguiente para ver si las tablas aguantan. Entonces sabremos si la *Mary Rose* está lista para salir a faenar.

Decido que si padre no se molesta en preguntar por el barco, yo tampoco me voy a molestar en contarle nada. Estoy más que harto de decirle cosas que ni le van ni le vienen. Lo único que consigo es ponerme de un humor de perros y cuando me pongo así de sombrío, no hay quien me aguante porque sólo quiero seguir deprimido. Y por extraño que parezca, en esos momentos lo único que me hace feliz es estar triste.

Así que lo mejor es no pasar por ahí. Simplemente le hago su cena y compruebo que se haya comido todo. Saco las latas de cerveza vacías y las escondo en el cobertizo para que los de la basura no tengan de qué hablar. Luego me meto en la cama y saco las tiras cómicas que encontré en el cobertizo, las de Flash y las de la Linterna Verde y las de Batman antiguas, las de antes de que hicieran la película. Lo único es que las he visto tantas veces que en vez de ver las páginas veo a la *Mary Rose*, y me quedo preocupado pensando que volverá a hacer agua y que se irá a pique. Que seguiré reparándola y que ella seguirá hundiéndose. Es entonces cuando noto que me duermo, me duermo profundamente hasta que finalmente salta el despertador.

Rinnnnn, rinnnnn.

Tráeme buena suerte, por favor. Mira que la necesito.

8

Lo que dijo el Tuercas

CUANDO empieza a subir la marea de la mañana, estoy listo. Tengo el cabestrante al final del embarcadero para devolver a la *Mary Rose* al agua, y he amarrado unos cabos para que no se la lleve la corriente. Cruzo los dedos de las manos y de los pies para que no le entre mucha agua.

Es una de esas mañanas templadas y brumosas de principio de verano, cuando el agua empieza a calentarse. La bruma no es como la niebla, que conste. Es más fina y clarea aquí y allá, y lo que hace es dejarlo todo borroso. Con la bruma cuesta distinguir dónde acaba la costa y dónde empieza la mar, y las copas de los pinos más altos parecen derretirse en el cielo.

Cuando la bruma entra así en la ría, se suele dar bien la pesca. A los peces les gusta comer a media luz. En tiempos más normales habría salido en la chalana a buscar remolinos de lubina rayada; pero aquí estoy, esperando algo con las tripas al revés, como si alguien me hubiera arreado un puñetazo en el estómago; esperando sin estar seguro de lo que va a pasar.

Lo que está claro es que no se puede apurar a la marea. La marea tiene su propia voluntad. Al final acaba por cooperar. Cuando el agua empieza a relamer las marcas más altas del embarcadero, suelto un poco el cable del cabestrante hasta que la marea vuelve a tensarlo. Entonces espero unos minutos y vuelvo a soltar un poco más, y un poco más.

Así es como voy dejando libre al barco, a poquitos. Ver derretirse un carámbano de hielo es más entretenido, hasta que de repente el cable del cabestrante se afloja del todo y veo a la *Mary Rose* flotando.

No sé por qué pero ahora todo me parece muy sencillo, demasiado quizá. Me empieza a preocupar lo que vaya a encontrarme, pero cuando salto a bordo y me asomo a la sentina, veo que el barco está seco. No hay ni una vía. Al pasar las manos por las tablas nuevas noto que hay algo de humedad en las costuras, pero por lo que me dijo el Sr. Woodwell, eso no tiene mayor importancia.

—Gracias, Rose —le digo—. Gracias por no rendirte.

Me entran ganas de saltar y de ponerme a gritar hurras o algo, cuando oigo unos pasos que se acercan por el embarcadero.

Es padre que está de pie, quieto, pálido como la leche.

—Que me lleven los demonios —dice—. Lo has conseguido.

Está como deslumbrado, pero no feliz. Es como si estuviera viendo un espíritu.

Por la tarde llega Mike Harley, el mecánico diésel. Encontré su número en la guía telefónica, y llega puntual a la cita.

—¿Y Skiff Grande?—. Eso es lo primero que dice.

—Anda con la gripe —le digo.

—Con la gripe, ¿verdad?

Mike levanta la mirada hacia la casa como si no me creyera, pero no insiste.

—Me he enterado de que la *Mary Rose* se ha hundido en el embarcadero. Esperaba que tu padre me llamara.

—No le gusta hablar por teléfono.

Mike vuelve a mirarme de reojo.

—¿De verdad?

—Puedo pagarle por mirar el motor —le enseño el sobre, el mismo que le ofrecí al Sr. Woodwell.

Mike menea la cabeza.

—No te voy a cobrar por hacerte un presupuesto. Espero que no te hagas muchas ilusiones con un motor que ha estado sumergido en agua salada.

—¿Pero podrás arreglarlo?

—Depende. Déjame echarle un vistazo.

Entra en la cabina con su caja de llaves de tuerca. La cubierta del motor se ha atorado. Parece que alguna parte del motor se ha dilatado y no la deja abrir. Eso lo hace suspirar, como si pensar en un barco hundido le revolviera las tripas. Vuelve a intentarlo con una palanca. Las bisagras rechinan como un gato furioso, pero al final consigue abrirla.

—Aquí no hay nada —dice Mike para sí mismo.

Baja y se pone al lado del motor. Creo que no le gusta que lo mire, así que me voy al final del embarcadero y espero a que termine. No tarda mucho.

—Skiffy. Te llaman así, ¿no? —Mike se sienta a mi lado. Se aclara la voz y escupe al agua—. Me gustaría tener mejores noticias, hijo. Puede que sólo sea un tuercas de pueblo, pero llevo suficiente tiempo entre motores de barco para saber cuál es la situación a primera vista.

—Pero puede arreglarlo, ¿no?

—¿Arreglarlo? ¿Ponerle un poco de aceite, darle al contacto y zarpar?

—No lo sé —contesto avergonzado de que haya adivinado mis pensamientos.

—Eso sería un milagro, chico, y mi experiencia es que en los motores diésel no se dan los milagros.

—Entonces no se puede arreglar.

—Tampoco he dicho eso. Mira. No se trata sólo de si se puede arreglar o no. Los colectores de escape estaban prácticamente corroídos antes de hundirse. Hay que cambiarlos. El estárter no sirve, y los estárters de diésel cuestan lo suyo.

Mike habla cada vez más rápido, como si quisiera pasar cuanto antes el mal trago de tanta mala noticia.

—Cableado nuevo —prosigue, contando con los dedos—. Baterías nuevas. Puede que haya que cambiar pistones, ya veremos cuando lo abra, pero el cojinete del cigüeñal, fijo que hay que ponerlo nuevo. Así que la respuesta a tu pregunta es, sí, claro que puedo repararlo, pero estamos hablando de una señora reparación. ¿Entiendes?

—¿Cuánto? —le pregunto, pensando en mi triste sobrecito.

Mike suspira como si el barco hundido fuera el suyo propio.

—Con descuento para pescadores y todo, estamos hablando de una reparación de cinco mil dólares, como poco. De ahí para arriba, según lo que me vaya encontrando.

No sé qué decirle. Cinco mil dólares es un dineral. Si padre estuviera trabajando, con algo de suerte podría ganar esa cantidad en poco tiempo, como el verano aquel en que se hartó de pescar atunes y ganó la plata suficiente en un mes para comprar una furgoneta casi nueva; pero ¿cómo va a pescar sin barco? Lo mismo da cinco mil que cinco millones.

—Mira, Skiffy —me dice—. Dile a tu padre que me llame y ya se lo diré yo.

No sé si al marcharse dice algo más o no, porque no estoy escuchando. Ya estoy dándole vueltas a la cabeza, pensando en cómo ganar cinco mil dólares antes del final del verano. No puedo pensar en otra cosa.

9

Dinero por libra

—¿Qué dice Mike? —pregunta padre.

Le doy la versión menos terrible.

—Conque cinco mil, ¿eh? Pensé que sería mucho más.

—¿Tenemos ese dinero? —le pregunto.

Padre se acomoda en el sofá y fija la mirada en otra parte del techo.

—Pues mira, hijo, no.

—Entonces da lo mismo, ¿no?

Padre se frota las cejas y me mira.

—No te enojes conmigo, Skiffy. No podría soportar que mi propio hijo se enojara conmigo.

Eso me hace sentir fatal porque es cierto. Y sé que

no es justo estar enojado con él porque seamos pobres, así que le digo:

—¿Listo para almorzar? Hoy toca sándwich de queso derretido.

Cuando tengo preparado el almuerzo, me siento mucho mejor. ¿Por qué? He dado con un plan perfecto para conseguir la plata y resolver todos nuestros problemas.

Llevaba tanto tiempo pensando en la *Rose*, en reflotarla y en arreglarla, que era como si fuera el único barco del mundo. Aún tengo la chalana que me regaló padre cuando cumplí nueve años. Me ha llevado y me ha traído por esta ría y por las inmediaciones del puerto millones de veces. Es un buen barquito y el fueraborda casi nunca falla. ¿Por qué no usar la chalana para ganar un dinerete?

Después de comer saco la calculadora.

Bueno, ahí va. En la chalana hay sitio de sobra para mí y tres nasas. Tres por viaje. Ahora mismo tenemos en el embarcadero doscientas nasas en perfectas condiciones, todas marcadas y con licencia. Desde que mi padre dejó de pescar, están ahí muriéndose de risa. Si las saco de tres en tres, podré tenerlas todas en el agua en unas pocas semanas.

En esta época del año se paga la langosta en la cooperativa a dos dólares la libra. Tengo que sacar dos mil quinientas langostas para reparar el motor de la *Mary Rose*. Parece mucho, pero eso sólo son unas trece langostas por nasa.

Trece langostas. Eso es todo. Es el número mágico que me va ayudar a reparar el motor. Trece por nasa y tengo todo el verano para sacarlas de la mar. Eso son dos langostas semanales en cada nasa. Pan comido. ¿A qué venía tanta preocupación?

Lo mejor de todo es que puedo empezar ya mismo.

Y, la verdad, no veo la necesidad de decírselo a padre, pero estoy tan emocionado que se lo voy a contar de todos modos. Después de enseñarle todos mis cálculos en un papel, cierra los ojos y suspira.

—No es tan sencillo —dice—. A todo eso tienes que descontarle lo que te gastes en carnada, las nasas perdidas y el combustible para el fueraborda. Y ya sabes que a veces las langostas no cooperan.

—La cuestión es que voy a ganar dinero.

—Lo que tiene que hacer un muchacho de tu edad es jugar con sus amigos.

Como decía, contárselo es inútil. Sólo ve lo malo. ¿Para qué molestarse si todo va a ir mal? Lleva en ese plan desde que madre enfermó, y no hay quien lo saque de ahí.

No es fácil, pero tengo que olvidarme de padre y de su sofá. Tengo que centrarme en mis cosas. Puede que salga de su agujero, puede que no; pero mientras se decide, hay langostas ahí fuera esperando a entrar en mis nasas.

Dinero por libra. Dinero fácil.

Al día siguiente, después de almorzar, trabajo como un endemoniado cargando nasas en la chalana. Manipular nasas tiene su truquillo porque llevan todo el peso en la parte de abajo. Las hacen así para que se hundan, claro. La cuestión es que hay que tener mucho cuidado a la hora de cargarlas si no quieres que zozobre la chalana.

Cargo las tres primeras, arranco el fueraborda y salimos aguas abajo hacia el puerto y hasta la tienda de carnada y combustible de Murphy, en el embarcadero del pueblo. Dejo cinco dólares en el frasco por un cubo de carnada y trato de escabullirme lo antes posible. Todo el mundo anda muy ocupado haciendo salazones de arenque, pero Devlin Murphy, el encargado y propietario del negocio, me echa el ojo, se dirige hacia mí y me cierra el paso.

Tiene muchas ganas de hablar. Yo ninguna.

—¿Un cubo de carnada? Si tu viejo va a volver a salir a pescar, querrá comprarla por barril.

—Sí, señor —le digo, y trato de escabullirme otra vez.

—¡No tengas tanta prisa! —dice Devlin riéndose a través de su barba.

Devlin es un tipo enorme con un pecho tremendo y una barriga y unas piernas como troncos de árbol. Quiero seguir, pero me engancha de la camisa con un dedo.

—¿Qué te propones, Skiffy? ¿La carnada es para ti o para quién? Dicen que has reparado la *Mary Rose*, ¿es cierto? ¿Y tu viejo? Va saliendo del agujero, ¿no?

Lo que tiene Devlin Murphy de grande lo tiene de fisgón. Siempre quiere estar al día de lo que pasa en la ribera y en el puerto. Madre decía que tenía más noticias locales que la emisora de radio, y que nunca te deja en paz hasta arrancarte lo que quiere saber.

Al final tengo que decirle que la carnada es para mí.

—¡Ah! —dice—. ¿Vas a echar unas trampitas este verano? ¡Haces bien, hijo!

Me sigue hasta el embarcadero y ve la chalana amarrada al final.

—Recuerdo cuando Skiff Grande construyó ese barquito. Buen diseño. ¿Crees que podrás recoger una nasa tú solito? —Devlin vuelve a reírse y me estruja el músculo del brazo. Eso me saca de mis casillas.

—¡Para que lo sepa, voy a trabajar yo solo doscientas trampas! —le digo orgulloso—. Si cree que no puedo tirar de ellas, venga y verá.

Eso le hace cerrar el pico, pero sólo por un momento. De pronto se pone muy serio.

—¿Y la *Mary Rose*? Me cuentan que el viejo Woodwell te ayudó a repararla.

Me encojo de hombros.

—El motor está dañado. Estamos ahorrando para repararlo.

Devlin se rasca su tupida barba, arruga la narizota y se me queda mirando.

—Ya, ya. Ahora comprendo. A ver si me salen las cuentas. Doscientas nasas en una chalana de diez pies. Vaya, vaya. Son muchas nasas para sacar a mano, Skiffy. Tu padre trabajaba esa cantidad con un barco de pesca equipado con un cabestrante hidráulico.

—Yo tengo una chalana —le digo—, y es lo que voy a usar.

Devlin me frota la coronilla, que es lo que más odio en este mundo.

—Te propongo una cosa —dice—. Vamos a abrirte una cuenta, tal y como hacíamos con tu padre. Te daremos el descuento de pescadores. Carga a esa cuenta la carnada y el combustible que necesites y ya sacaremos las cuentas cuando termine el verano. ¿Te parece?

—Ya lo creo. Gracias, Sr. Murphy.

—Mis clientes me llaman Dev. Ahora sal y pesca una tonelada de langostas, hijo. Y dile a tu padre que Dev Murphy le envía un saludo.

Se queda al final del embarcadero. Al salir lo veo ahí de pie, tan grande como su tienda de carnada, mirándome hasta que lo pierdo de vista.

10

Langostas en el salón

DURANTE las primeras dos semanas las cosas van fenomenal. Me levanto con el alba todos los días, ansioso por salir. Me como mi tostada y mis cereales, y salgo corriendo al embarcadero. Entro a toda prisa a ver si la *Rose* hace agua —no, seca como una piedra—, arrastro las nasas hasta el final del embarcadero y las descargo en la chalana.

Si lo haces bien, no hay que levantarlas mucho. Lo que son las nasas, pesan poco, pero llevan unos ladrillos al fondo para que se hundan. El caso es que las cargo, arranco el fueraborda y voy al puerto por un cubo de carnada donde Dev Murphy. Lo recojo y salgo de nuevo a buscar un buen sitio para las nasas.

Fondear las nasas, ahí es donde hay que tener olfato. Todo el mundo lo dice. Hay que colocar la nasa donde vive la langosta. La langosta camina buscando qué comer. Así que tienes que imaginarte el fondo porque desde arriba no se ve. Hay que estar atento a dónde se forman los remolinos y a cómo bajan las orillas. Hay que imaginar cómo son las cosas ahí abajo y, sobre todo, hay que tener el presentimiento de que el sitio donde fondees la nasa es el bueno.

Por supuesto, hay otros cien marisqueros colocando nasas y eso hay que tenerlo muy presente. Como las pongas muy cerca de las suyas, se molestan. Si se portan bien, te avisan atando un lazo en el cabo de tu boya. Ya digo, si se portan bien, porque si les pinchas demasiado, cortan el cabo y adiós muy buenas. La nasa se queda en el fondo y no hay manera de sacarla, y eso no le hace bien a nadie.

A finales de la primera semana ya tengo unas cien nasas fondeadas, todas con carnada y esperando a los invitados. Como decimos aquí, primero pasan a la cocina y luego al salón. Lo que pasa es que las nasas tienen dos "habitaciones". Las langostas pasan primero a una parte de la nasa llamada "cocina". En la cocina está la bolsa con la carnada que atrae a la langosta, pero cuando quiere salir de la cocina, el único sitio al que puede ir es al "salón", y del salón no hay escapatoria. Y así, la langosta se queda encerrada hasta que recoges la nasa.

Lo malo es que recoger las nasas es mucho más difícil que fondearlas.

Espero cuatro días antes de ir por la primera tira. Me muero de curiosidad por saber qué llevan. Me las imagino rebosando de langostas de dos libras. Al llegar, agarro la cuerda y me pongo a tirar y, aunque tiro con todas mis fuerzas, el cabo no cede. Es como si hubieran clavado la nasa al fondo del mar.

Así que afirmo el cabo en la cornamusa, me froto las manos y lo intento de nuevo. Esta vez cede un poco, pero el cabo se me escurre y la nasa vuelve a caer al fondo.

¿Cómo es posible que una jaula de madera pese tanto? Y eso que está dentro del agua.

Al final doy con la manera de tirar del cabo y mantenerlo atado a la cornamusa para que no se me escurra, y así es como saco mi primera nasa, en tandas de unos cuantos pies. Cuando al fin asoma a estribor, resbalosa y chorreante, los brazos me tiemblan del esfuerzo.

Me da igual, porque compruebo que tengo visita. Hay langostas, muchas langostas, y un puñado de cangrejos. Lo malo es que sólo una de todas esas langostas da la talla. Esa norma la llevan a rajatabla. Devolver todas las chicas al agua me sienta como un tiro, pero no hay más remedio.

Me quedo mirando la buena.

Una menos y otras dos mil cuatrocientas noventa y nueve para terminar.

—Despierta, Skiffy.

Me levanto sobresaltado. ¿Es el despertador? No estoy en mi dormitorio, estoy en la sala. Y no es de día. Es más, parece que se acaba de poner el sol. Me he debido quedar dormido.

—Te he dejado dormir —dice padre—. Si quieres preparo algo de cena.

—He sacado doce langostas de las buenas y un cubo de cangrejos —le digo.

—No está mal.

No recuerdo cuando fue la última vez que padre

preparó la cena. Sólo hay salchichas a la plancha, pero algo es algo. Y no es que me moleste un plato de salchichas y frijoles, lo único es que tengo las manos tan doloridas de recoger nasas que apenas si puedo agarrar el tenedor.

—A tu edad yo andaba fondeando una tira de nasas.

—¿De veras? —pregunto mientras él abre una lata de cerveza.

—Sólo eran treinta, pero me tenían bastante ocupado. Durante los primeros días pensé que se me iban a caer los brazos. Luego me fui acostumbrando.

—Yo ya me he acostumbrado.

—Lo único que digo, Skiffy, es que doscientas nasas quizá sean demasiado arroz pa' tan poco pollo.

—Esa es tu opinión —le digo.

Padre le da un trago a su cerveza.

—¿Te ha dado crédito Dev Murphy?

—Sí.

—Ya me imaginaba.

Parece que padre va a empezar a darme un discurso sobre qué debo hacer y cómo hacerlo, y de cómo eran las cosas cuando él tenía mi edad; en fin, el tipo de charla que suelen tener los padres y sus hijos; pero padre agarra su cerveza y se vuelve a su sofá. Se acabó la conversación.

En fin, las salchichas están ricas.

Y a mí la comida vuelve a darme sueño, así que casi me arrastro por las escaleras. La verdad es que eso no lo recuerdo, pero de seguro que las subí, porque al día siguiente me despierto en mi cama.

El despertador vuelve con su *rinnnnn, rinnnnn, rinnnnn*. Ríndete langosta, ríndete cangrejo, ríndete mala suerte, ríndete, ríndete.

Lo que más me apetece es darme media vuelta y meter la cabeza debajo de la almohada, pero tengo que ir por la carnada y a recoger nasas, así que me visto, desayuno y salgo pitando para volver a empezar.

Y volver a empezar.

Y volver a empezar.

Al cabo de varios días ya no me cuesta tanto. Las nasas parecen más livianas. El cubo de carnada parece más liviano. Puedo pasarme el día entero faenando y quedarme despierto una hora después de la cena. A las dos semanas tengo fondeadas las doscientas nasas y recojo a mano veinticinco diarias. El promedio es de libra y media de langosta buena por nasa y una infinidad de cangrejos. No me dan nada por los cangrejos más chicos. Son tan pequeños que no hay quien les saque la carne, pero me da igual. A mí lo que me interesan son esos bicharracos de pinzas grandes. Dinerito en el banco.

La cabeza me zumba como una caja registradora, sumando, calculando totales. Quitando lo que me gasté en combustible y carnada, me siguen sobrando novecientos dólares, y la semana que viene parece que será mejor. Al menos eso es lo que dicen.

Como digo, todo va muy bien. Hasta que las cosas se empiezan a torcer.

Se empiezan a torcer gracias a una rata miserable llamada Tyler Croft.

11

Guerra de nasas

Un día, salgo de la tienda de Murphy cargado con carnada y un par de nasas para reparar. Es una mañana espléndida y estoy de buen humor, ocupándome de mis cosas, y es entonces cuando veo al *Fin Chaser* amarrado en el embarcadero del pueblo.

Es un barco muy hermoso. La mejor embarcación para el atún. Tiene un casco de cuarenta pies con una atalaya para divisar los peces en la distancia y también un púlpito de proa casi tan largo como el propio barco. Es tan largo para que el arponero pueda colgarse encima del atún y arrojar el arpón antes de que el pez sienta el barco.

Nunca he ido a bordo del *Fin Chaser*, pero sé todo de ese barco. Y si lo sé es porque padre llegó a ser el mejor arponero de toda la tripulación. Al llegar agosto dejaba amarrada a la *Rose* y se enrolaba en el *Fin Chaser* durante un mes o algo así. Faenó en ese barco desde Provincetown hasta Bar Harbor siguiendo a los atunes. A veces ganaba más dinero en un solo mes que en todo un año mariscando.

Un verano, padre pescó dieciocho atunes, casi más del doble que el segundo mejor arponero de Spinney Cove. Aquel fue el año en que compró la nueva furgoneta Ford, y también fue cuando le pusieron la cocina nueva a madre. Él y el propietario del *Fin Chaser* se llevaban muy bien hasta que madre cayó enferma y padre dejó de trabajar. Parece que el patrón del *Fin Chaser* le comentó que estaba bebiendo mucho, pero no estoy seguro de si fue eso o si discutieron por dinero. Y no sé qué le contestaría padre, pero el caso es que desde entonces no se han vuelto a hablar.

El problema está en que el propietario del *Fin Chaser*, que fue el mejor amigo de mi viejo, es el padre de Tyler Croft. Y, por cierto, ahí veo a Tyler, cargando arpones con cara de ser el mejor pescador del mundo, mientras su padre carga hielo en el barco para una expedición.

Lo último que deseo en este mundo es que Tyler me vea, pero me ve. Me mira con esa sonrisa de idiota, apunta con el dedo a mi pequeña chalana y se tapa la nariz. Están demasiado lejos para poder entender lo que dicen, pero distingo la voz seca de su padre que le borra esa sonrisa de imbécil. Luego el que me mira es el propio Jack Croft. Es un tipo bajo y fornido con una gorra de visera larga y la mirada achinada de tanto buscar atunes. Me mira de arriba a abajo pero no dice nada, simplemente me saluda con la cabeza, como hacemos la gente del mar. Luego le habla a Tyler mientras me señala con el dedo. Sí, parece que le habla de mí, y Tyler me mira de reojo, como diciendo, espera y verás, marisquero.

Y la espera es breve.

Al día siguiente, salgo a Little Sister Rock, justo detrás de la cala. Tengo una docena de nasas fondeadas cerca de las rocas, que es donde les gusta esconderse a las langostas. Es una de esas mañanas de verano perfectas. El agua parece cristal ondulado y sólo hay alguna nubecilla por el cielo, que está radiante de cabo a rabo. Como el sol amanece en la mar, el reflejo no te deja ver muy bien, pero me acerco a las rocas todo lo que puedo. El agua relame la orilla y hay racimos de algas flotando como melenas de mujer. Saco la primera nasa.

Vacía. Ni langostas, ni cangrejos, ni carnada en la cocina. Nada.

Casi todas las nasas tienen al menos uno o dos cangrejos, pero qué se le va a hacer, supongo que estas cosas pasan.

Vuelvo a poner la bolsa con la carnada en la cocina y la fondeo de nuevo. Luego agarro la siguiente boya y tiro del cabo hasta que siento su peso. A medida que recojo, voy enrollando el cabo en la cornamusa. Cuando asoma, la agarro y la subo a cubierta.

Vacía, igual que la primera. Ni langostas, ni cangrejos, ni nada. Esta vez veo que han cortado la bolsa de la carnada con algo tan afilado como para cortar la malla de la nasa.

Podría haberlo hecho una langosta con la pinza, pero

entonces, ¿y la langosta? ¿Es que ahora van a la escuela a estudiar cómo escaparse de las nasas? Lo dudo.

Se me revuelve el estómago pensando que pueda ser otra cosa.

Recojo la tercera. Vacía. Como las otras dos.

Recojo la cuarta.

Recojo la quinta.

Recojo la sexta.

Vacía, vacía, vacía.

Me tomo un respiro. Tengo los brazos doloridos. Siento que el sol me perfora la cabeza. Luego saco otras seis nasas, pulgada a pulgada. Pie a pie. Todas están vacías. Las bolsas de carnada, cortadas.

Esto me empieza a sentir como una ostra podrida para desayunar. Alguien me está robando las langostas. Peor aun, además, me han estado cortando las bolsas de la carnada para que no entren más langostas.

Y quien haya hecho esto quiere que yo lo sepa.

¿Quién puede hacer algo así? Sólo me viene un nombre a la cabeza. Tyler Croft. Debe de haberse escabullido hasta aquí para vaciarme las nasas y demostrar que es mejor que yo. Por supuesto, sabe que no puedo demostrarlo. Podría haber sido cualquiera, pero no. Reconocer al culpable es tan fácil como reconocer el tufo a pescado podrido.

Siento que la cara me arde, pero lo peor está por llegar.

En el viaje de vuelta me acerco a ver otras nasas de la parte de dentro del canal, donde el fondo es rocoso.

Han desaparecido todas mis boyas.

Otras diez nasas al garete, robadas o con la boya cortada, que viene a ser lo mismo.

Ahora siento que la cabeza me va a reventar. Lo único que se me ocurre es abrir el estrangulador y partir hacia el embarcadero del pueblo a buscar al *Fin Chaser*. Cuando llego, el barco no está. Seguramente habrá salido a atunes.

Estoy tan enojado que me duele el alma; pero no tengo a nadie a quien agarrar del cuello ni a quien insultar, así que vuelvo a casa destrozado y me pongo a pensar en las cosas que me gustaría hacerle a Tyler Croft.

Atarle su maldita bicicleta de montaña al cuello y arrojarlo al puerto. Eso para empezar.

Pasado un rato me veo dando portazos y sintiendo una lástima horrible de mí mismo. Padre se despierta.

—¿Qué ha pasado, Skiffy?

—¡Nada!

—Algo debe ser.

—¡Y a ti qué te importa! ¡Vuelve a dormirte! ¡Vuelve a ver la tele! ¡Vuelve a tu cerveza!

Le digo eso y otras cosas peores llenas de odio envenenado. A mi propio padre.

Y lo peor de todo es que no dice nada.

No me puedo dormir sabiendo que Tyler anda por ahí, robándome las langostas y cortando boyas. Tengo que hacer algo pronto, pero no sé qué. Tengo que buscar cómo detenerlo antes de que me arruine por completo.

Odiar a ese inútil no basta. No hago más que darle vueltas y no se me ocurre nada. ¿Insultarlo? Le resbala. ¿Arrearle una pedrada? Él y sus amigos me arrojarían mil. ¿Llamar a su padre? Conozco a Tyler, le mentiría y seguiría en las mismas. ¿Denunciarlo con el inspector de caza y pesca? Con qué pruebas. ¿Contárselo a padre? No me hagas reír, si no levantó el trasero cuando se le hundió el barco, no va a molestarse ahora por unas miserables nasas.

Está claro que esto tengo que resolverlo por mi cuenta.

Así que salgo a medianoche, me monto en mi chalana, suelto amarras y me dejo llevar por la corriente, silencioso como la noche.

Ojo, niño ricachón. El niño marisquero va por ti.

12

Niño rico en la oscuridad

CUANDO navegas por la ría en plena noche, es como si fueras invisible, deslizándote en silencio con la corriente y mirando la oscuridad del mundo sin que ella te vea a ti. Los pinos de las orillas parecen ejércitos de zombis gigantes con estrellas por ojos y con largos brazos mecidos por el viento, pero no te pueden ver. Ni ellos ni nadie.

Es como estar dormido y verte en tu propio sueño mientras te lleva la corriente. Verte en silencio mientras la marea tira de ti en cada recodo, mientras la corriente te arrastra y te protege.

Y entonces te despiertas y recuerdas de repente que

todo lo que has temido en tu vida se ha hecho reali- dad, como la enfermedad de madre o el hundimiento de la *Mary Rose*. Deseas volver a dormirte y no des- pertar jamás pero no te queda más remedio. Así son las cosas en el mundo real. O despiertas o desapareces para siempre.

Y yo no quiero desaparecer sin luchar. Aún no.

No tengo manera de saber qué boyas va a cortar ahora. Lo único que puedo hacer es proteger lo que es mío. Supongo que una comadreja como Tyler bus- cará el camino más fácil y que irá por las nasas que le queden más a mano. Los Croft viven en el extremo este de Spinney Cove, que es donde están las grandes casas del pueblo. Casas con portones automáticos y garajes con espacio para seis autos, y montones de habitacio- nes vacías. Casas de gente rica. Casas tan importantes que tienen nombres propios, como Windswept y Beach Rose y Seaview. La gente rica como el padre de Tyler no pesca por dinero. Esa gente pesca por deporte y porque les da una excusa para tener un barco grande y caro, y para llevar una gorra de pescador de visera larga.

No es que eso tenga nada de malo —¡Anda que no iba a ser grande mi barco si fuera rico! ¡Y también me compraría una gorra!—, lo que no aguanto es que los ricos me quiten lo que es mío. Y eso es lo que significa cortar boyas: robar, así de claro. Que un descarado ricachón como Tyler Croft se crea que puede destrozarme la vida por deporte me sienta como un anzuelo oxidado en el paladar.

Aunque no hay luna, hay suficientes estrellas en el firmamento para ver por dónde voy, más o menos. Hay luz suficiente para ir esquivando los barcos fondeados en el puerto. O mejor dicho, para esquivar sus sombras, siluetas extrañas que se mueven con la corriente, todas al mismo tiempo, como una bandada de patos que avanzan por un estanque con el pico al viento.

El rumor del fueraborda hace eco en los cascos de los barcos. Hace tanto ruido que temo despertar a medio mundo, pero en realidad sólo es otro sonido en la noche, un barquito que pasa de largo y nada más.

Al salir del puerto oigo las lubinas acosando a un banco de pececillos en las aguas más someras de la bahía. Hacen ese ruido seco y duro que padre llama "granadas de pescado". Es el ruido del pez grande comiéndose al chico. A veces el sonido te delata que el pez chico se ha escapado.

Cuando pasa eso me sonrío.

Paso muy despacio cerca de la orilla, a unas cien yardas o algo así del embarcadero flotante de los Croft. En ese momento oigo un barco zarpando de allí mismo. Apago el motor a toda prisa y, tumbado sobre cubierta, oigo el barco saliendo del embarcadero a punta de gas. Me asomo por un lado y distingo a Tyler Croft a bordo del *Boy Toy,* una estupenda Boston Whaler con un motor de cuatro tiempos recién comprado, tan silencioso que sólo se oye el chapoteo del agua en el casco. O sea, un barco perfecto para salir a rondar de noche. El barco va sin luces, así que algo estará tramando.

El problema es que va tan rápido que cuando arranco mi pequeño fueraborda de cinco caballos, el barco casi ha desaparecido. Lo único que puedo hacer es seguir su estela. Eso basta para que me figure hacia dónde se dirige. Hacia la docena de nasas que fondeé en el recodo del pantalán. Si realmente está allí cortando mis boyas, tendré que acecharlo con mucho sigilo. Si no, saldrá disparado y no habrá manera de cazarlo.

Cuando llego a donde empieza el pantalán, apago el motor, saco los remos, me acerco hacia las rocas y avanzo lentamente pegado a ellas. Un pantalán es una especie de brazo de escollos enormes que sale desde la orilla hacia la mar para proteger los barcos del puerto de las olas cuando hay temporal. Voy bogando pegado al pantalán, oculto en su sombra. Me impulso muy despacio, con la punta de los remos. Cualquier movimiento brusco podría delatarme.

Remo mirando por encima del hombro, deseando tener ojos de gato o algo para poder ver en la oscuridad. Algo veo allí alante, ¿pero qué es? Quizá sea un barco anclado en su fondeadero. Quizá esté más lejos de lo que imagino. Es muy difícil calcular distancias de noche, en el agua, sin más luz que el destello del firmamento. Veo movimiento en la cubierta.

Hay alguien de pie. Luego se inclina hacia un lado del barco. Vuelve a incorporarse. No puedo ver con claridad, pero tiene que ser Tyler agarrando una boya y cortando el cabo, y luego la siguiente. Ni se molesta en recoger la nasa para robar las langostas. Eso debe de ser demasiado trabajoso para él, así que simplemente corta la boya. Así de sencillo.

Sigo bogando hasta que me pongo al lado opuesto de la lancha. Agarro el cordón del fueraborda y tiro, deseando con todas mis fuerzas que arranque a la primera.

Y arranca.

No tengo nada planeado. Sólo me dejo llevar por la ira. Así que acelero y me lanzo contra esa silueta oscura a todo lo que da mi pequeña chalana. Lo veo soltar una boya y luego le meto la amura en un costado de su lancha. *¡Blam!* Lo veo caer sobre cubierta, gritando y blasfemando, más irritado que una abeja en un frasco de cristal.

Yo también me caigo, pero me da igual. Me alegra haber podido abordarlo, aunque seguro que mi barco ha salido peor parado que el suyo.

—¡Tyler Croft, eres un ladrón! ¡Ojalá te mueras, pedazo de bazofia asquerosa!

Tyler asoma la cabeza a un lado. Ahora lo veo perfectamente. Está sonriendo.

—Anda, mira a quién me he encontrado —dice.

—¡Te he encontrado yo a ti!

—¡Y a mí qué!

—Me debes quinientos dólares —le digo improvisando un número—. ¡Págame o verás!

—¿Qué veré?

—Verás cómo te arrestan y te mandan preso.

—Te falta una tuerca, niño marisquero. ¿Por qué iba a ir a la cárcel?

Ahora empieza a divertirse. Se burla de mí.

—Por robarme mis langostas. Por cortar mis boyas.

—¿Ah sí? Pruébalo.

—¡Te he visto con mis propios ojos!

—No has visto nada. Está demasiado oscuro. Nadie te creería ni una palabra. ¡No eres más que un marismeño embustero y todo el mundo lo sabe!

Lo que peor me sienta, lo que me hace sentir como si me hubiera tragado mil sapos es darme cuenta de que tiene razón. Es mi palabra contra la suya. Marisquero contra niño rico. Y ya se sabe quién lleva las de perder. No tengo plata para abogados, él sí. O su padre, que viene a ser lo mismo.

No puedo hacer nada contra él.

Nuestros barcos empiezan a alejarse. El fueraborda se atranca, así que saco los remos y trato de acortar distancias.

Él está ahí sentado, esperando, como si todo esto le resultara de lo más entretenido y no tuviera nada mejor que hacer que recordarme que puede hacerme daño pero yo a él no.

—¿Por qué lo haces, Tyler?

—¿Por qué hago qué, niño fangoso? ¿Jugar con tus estúpidas nasas?

—Sí.

—Acércate un poco más y te lo diré.

Eso me hace parar de golpe, aguantando los remos con fuerza.

Tyler se incorpora y me arroja un bichero. Me agacho y lo oigo pasar justo por encima de la cabeza.

—¡Eres un pobre diablo, marisquero! ¡Acostúmbrate a perder!

Luego arranca su fueraborda y sale a todo gas. Ahí va el niño ricachón en la noche oscura, aullando y gritando mi nombre, Ski-fiiiiii, Ski-fiiiiii.

El fueraborda no quiere arrancar. Se me ocurre desenganchar ese maldito cacharro y tirarlo al mar, pero no lo hago. Vuelvo remando hasta casa.

Me toma el resto de la noche, una noche que es clara comparada con mi ánimo.

13

El día después

Al fin llego a casa rendido, hecho trizas. El reloj marca las cuatro de la madrugada y no veo a padre en su sofá. Está en la mesa de la cocina tomándose un café. Tiene unas ojeras tan negras y tan grandes que parece un mapache escuálido con los bigotes sucios.

Quiere saber dónde he estado.

—¿Qué ha pasado, Skiffy?

—Nada. El motor no arrancó.

Sabe que oculto algo, así que decido contárselo todo. Cuanto antes lo suelte, más pronto podré ir a la cama y quedarme dormido para siempre.

Cuando termino de contárselo, está tan asqueado como yo.

—¿El chico de los Croft ha cortado tus nasas? ¿Por qué haría algo así?

Me encojo de hombros.

—No sé, para divertirse. Y porque yo soy un marismeño y él no.

—¿Marismeño? ¡Qué dices! No sabía que nadie usara ya esa palabra.

—Tyler la usa.

—Que me lleven los demonios —dice padre—. Pensaba que esos días ya habían quedado atrás.

Padre mira al piso y suspira. Se levanta del sofá, se acerca al refrigerador y saca una lata de cerveza. Tira de la anilla y se queda mirando la espuma.

—Algo habrá que hacer, déjame pensarlo.

—Tú piensa —le digo—. Yo me voy a la cama.

Hay un instante, justo antes de despertarte, en el que tu cerebro cree que todo lo malo que te ha pasado no ha sido más que un sueño. Despierta, te dice el cerebro, despierta y todo irá bien.

¡Qué estupidez! Luego abres los ojos y todo lo malo sigue allí. La *Mary Rose* sigue sin motor y mis nasas continúan perdidas en el fondo del mar.

Ah sí, y para completar el cuadro, padre se ha dormido en el sofá delante de la tele. Se huele la cerveza desde arriba. ¡Cómo odio ese olor! Viene del montón de latas de cerveza amontonadas en el piso y también sale de él. Se ha quedado dormido con la boca abierta, como un gorrioncito esperando a que su mamá le dé su comidita.

Arreo una patada a ese puñetero montón de latas. Él ni se inmuta. Está tan borracho que podría tirar una traca de petardos y tampoco se daría cuenta.

Me quedo mirando las latas desperdigadas por la sala, me lo quedo mirando a él ahí dormido con la boca abierta y pienso que lo odio casi tanto como a Tyler Croft. Y no es que lo odie, claro, pero es que tengo una de esas mañanas en las que sólo deseas tomarla con alguien.

Cuando termino mis cereales, ya se me han pasado las ganas de odiarlo, de momento, así que voy a recoger las latas y abro las ventanas, para que se vaya esa peste a cerveza.

Es un hermoso día de verano, soleado y radiante, pero es como si el tiempo se hubiera equivocado. Preferiría que estuviera nublado y gris, como yo. Salgo a ver a la *Rose*, pero ¿para qué? Padre tenía razón, debí haberla dejado pudrirse junto al embarcadero.

Pensaba que lo tenía todo atado y bien atado, cómo ganar dinero para reparar el motor y todo eso. Con lo que no había contado era con Tyler, ése fue mi error. Siempre tiene que haber alguien como él, alguien dispuesto a hacerle daño al prójimo. Enfrentarse a él es tan inútil como luchar contra el viento o la marea. Si no es él, será otro. Joey Gleeson o Parker Beal. Alguien. Madre decía que por mucho que tires de la cadena, siempre volverá a haber otra boñiga en el retrete.

Lo decía en broma, pero es verdad.

Me quedo un rato mirando a la *Mary Rose* en el embarcadero, triste y deprimido. Me asomo a la chalana y veo que al abordar el barco de Tyler dañé la proa. No tengo ganas de repararla. Poco a poco voy calmándome y me monto en la chalana a ver qué tiene el motor. Al final resulta que sólo se había soltado un cable, nada importante. Así que arranco y salgo por la ría adonde el Sr. Woodwell.

No sé bien por qué, quizá sólo para escapar.

Hay algo en el cobertizo del viejo que me tranquiliza. Es como si el aire de esa casona grande fuera más tranquilo y que esa tranquilidad se te metiera dentro al respirarla. A lo mejor es el olor a virutas de cedro, o a lo mejor es el humo de su pipa de maíz. El caso es que voy para allá. Al llegar veo la alargada barca del capitán Keelson amarrada al embarcadero.

Están los dos en el cobertizo, observando un remo.

El Sr. Woodwell me ve y dice:

—¡Hola, Samuel! ¿A qué se dedican hoy los peces?

—A nadar por ahí, digo yo.

—Se me ha roto un remo —dice el capitán Keelson con esa sonrisa suya tan llena de arrugas—. Se atoró en un pilón y al tirar de él lo he quebrado.

El Sr. Woodwell tiene el remo sujeto en el tornillo del banco. Está claro que no tienen ninguna prisa en arreglarlo. Aún están hablando de cómo hacerlo y eso puede llevarles un tiempo.

—La *Rose* sigue bien, ¿verdad? —pregunta el viejo—. ¿Sigue seca?

Le digo que sí en silencio, con la cabeza, y hago como si estuviera estudiando el remo, pero la verdad es que no veo la rotura por ninguna parte.

—¿Qué tal va la campaña langostera? —pregunta el capitán Keelson—. Sobre ruedas, tengo entendido.

Cuenta Dev Murphy que las estás recogiendo a sacos.

—Dev Murphy no lo sabe todo —le digo, y al decirlo empiezo a notar calor por dentro.

Los dos apartan la mirada del remo y se me quedan mirando.

—Será mejor que nos lo cuentes —dice el viejo.

—No servirá de nada.

El Sr. Woodwell le da una calada a su pipa y hace un gesto con la cabeza para que lo siga.

—Anda, sube al porche —me dice—. Con tu permiso, Alex.

—Amos, sabes perfectamente que lo mismo me da que repares el remo este año que el que viene. Si hay algo que me sobran son remos.

El viejo vuelve a hacer el mismo gesto..

—Este muchacho necesita un refresco. Una limonada bien fuerte, cargadita de azúcar. ¿Te apuntas?

Subimos los tres al porche. El capitán y yo nos quedamos fuera y oímos al viejo Woodwell trajinar en la cocina, cortando limones y exprimiéndolos.

—El tiempo ha estado bueno —dice el capitán mirando la ría.

—Sí. Bastante.

—La niebla brilla por su ausencia —dice.

—Eso digo yo.

—Hace años tuvimos un verano en que no salió el sol. Antes de que tú nacieras. Se nos echó la niebla el cuatro de julio y no escampó hasta septiembre.

—¿De veras?

—Había tanta humedad que el moho se quejaba. Se derritieron varios transeúntes, en plena calle. Lo único que quedó de ellos fue un par de zapatos mojados.

Sé que me quiere sacar una sonrisa, pero no me queda ninguna.

—Tan espesa era la niebla que la vendían en rodajas. Auténtica niebla del Estado de Maine. Fue todo un éxito entre los turistas. Los que no se perdían, claro. Algunos salieron de paseo y acabaron en Pennsylvania.

—Qué gracioso —le digo educadamente.

—Y por cierto, Pennsylvania es un estado muy serio...

Llega el Sr. Woodwell con una jarra de metal y tres vasos.

—¿Qué interrumpo?

—La niebla —dice el capitán Keelson.

—¿Niebla? Alex fabrica una niebla de categoría, si se me permite decirlo. ¿Le has hablado del hombre que se derritió?

—Ya lo creo.

—¿Lo único que quedó de él fue su gorra?

—Los zapatos —le corrijo.

—Ese fue otro.

—Gracias —le digo mientras me pasa el vaso helado.

El capitán Keelson da un sorbo y hace una mueca.

—Oye, Amos, no has escatimado en limones, ¿verdad?

—¿Demasiado ácido?

—No. Lo justo. Mil gracias.

—¿Tú qué dices, jovencito?

—Muy buena —le digo—. Como siempre.

El Sr. Woodwell se reclina en su mecedora. Tiene las manos tan agarrotadas que usa las dos para sujetar el vaso, pero no parece molestarle.

—Escucha, Samuel —dice—. Estás entre amigos. Hay algo que te está molestando. Si hay algo que podamos hacer para ayudarte, no tienes más que decirlo.

—No hay nada que pueda hacer nadie.

—Te lo decimos para que lo sepas.

—¡Me han cortado las nasas!

—¡Santo Dios! —dice el capitán Keelson sobresaltado. Se lleva tal susto que se le derrama media limonada en la camisa—. ¿Cuántas?

—No sé exactamente cuántas. Casi todas.

Les cuento toda la historia tal y como se la conté a padre. Toda menos mi embestida a la Boston Whaler de Tyler.

Cuando termino, el capitán Keelson da un suspiro y dice:

—¿Sabes qué, Amos? El chico tiene razón. Hay muy poco que podamos hacer. Es una situación delicada. Skiff Grande y Jack Croft están peleados. Lo mejor es no meterse.

El Sr. Woodwell asiente con un gesto de tristeza.

—Lo siento, Samuel. Pensé que a lo mejor podíamos ayudarte, pero tu padre se disgustará y con razón si nos inmiscuimos en sus asuntos.

—No es un problema de mi padre, es *mi* problema.

—Aunque lo sea, el caso es que tú eres el hijo de Skiffy Grande y él es el hijo de Jack Croft, y eso complica mucho las cosas. Si hay alguien que pueda hacer algo en este asunto, es tu padre.

Eso es algo que sabía de sobra antes de remontar la ría para venir hasta aquí. Me han hecho contar toda la historia para nada, y eso me vuelve a despertar el odio. Odio a Tyler, odio a mi padre, odio las latas de cerveza desperdigadas por el piso y me odio a mí mismo por pensar que sería capaz de cambiar las cosas.

—Qué tristeza —dice el Sr. Woodwell—. Tanta crueldad en un niño.

—Bueno —dice el capitán Keelson mirándome a los ojos—, supongo que intentarás sacar las nasas con un arpeo.

No se me había ocurrido y él lo sabe. El capitán deja caer, como quien no quiere la cosa, que se podrían recuperar las nasas arrastrando un arpeo por el fondo.

—Puede funcionar —le digo.

—Debes de estar terriblemente desanimado.

—Lo que estoy es enojado. No es justo.

—No —dice el Sr. Woodwell.

—Ya lo creo que no —dice el capitán—. Decididamente no.

Nos quedamos sentados un rato, bebiendo limonada y con pocas ganas de hablar.

14

La última esperanza

Durante las semanas siguientes me dedico a rescatar mis nasas perdidas. La idea del capitán Keelson para recuperar las nasas funciona bastante bien. Consiste en atar un cabo a un arpeo, que es como un anzuelo grande de pesca con cuatro uñas. Luego lo arrastras por el fondo hasta que enganchas algo. Con suerte sacas una nasa. A veces sacas una bota vieja o un neumático o una caja de plástico o un cepellón de algas. En el fondo hay todo tipo de basuras.

Un día saqué un teléfono viejo lleno de lodo de arriba a abajo. Se lo llevé a Dev Murphy, a la tienda de carnada. Se lo puso al oído y dijo: "Se oye el océano".

A veces, navegando por aguas someras y con la mar en calma, se puede ver la nasa en el fondo. A veces la nasa sube cargadita de langostas, pero esas son las menos.

En todo caso no tengo nada mejor que hacer. Ya han entrado las lubinas, pero no me parece correcto tomarme días libres sólo para divertirme. No hasta que haya recuperado todas las nasas. Bueno, todas seguro que no. A veces las arrastra la corriente o la marea o no recuerdo dónde las fondeé. Calculo que de doscientas nasas al final sacaré unas cien.

Dev dice que las vuelva a amarrar a un cabo y las fondee con carnada en el mismo sitio. ¿Y para qué?, me pregunto yo. Conozco bien a ese Tyler. No se va a dar por vencido. Ahora lo veo llegar en su barco y eso es lo que viene a decirme. Lo acompaña Parker Beal, que esta vez no dice nada. Está ahí haciéndose el duro y riéndose de todo lo que dice Tyler, como si ese fuera su trabajo.

—¡Oye, apestoso! —grita Tyler a cierta distancia, no sea que lo vuelva a abordar—. ¿Qué haces, niño marisquero?

—¿A ti qué te parece?

—Me parece que estás pescando más chatarra asquerosa para meter en tu asquerosa chabola. Dale duro, con un poco de suerte a lo mejor encuentras un aro de retrete viejo para tu letrina.

En realidad había sacado un aro de retrete, pero lo tiré otra vez. Tyler debió haberme visto desde la orilla.

—Lárgate —le digo—. Déjame en paz.

—Debe de ser un fastidio estar en tu pellejo, Skiffy. ¿Cómo lo aguantas?

—Acércate un poco y te lo diré.

Tyler se ríe. Parker también empieza a reírse, aunque no sabe de qué. Lo hace sólo por complacer a Tyler.

—Nos vemos, niño marisquero.

Se van a todo gas. Aún estoy enojado, pero el sentimiento ahora es más hondo. Ahora no lo tengo a flor de piel. Ahora, al menos, cada vez que recuerdo lo que me ha hecho o lo que sigue dispuesto a hacerme soy capaz de soportarlo sin que me ardan las orejas.

A veces me pregunto por qué me odia tanto. Jamás le hice nada, pero él siempre ha estado en mi contra, desde los días en que su padre y el mío eran amigos. Lo pasaba tan mal en el autobús con sus tirones de orejas y esa dichosa cancioncita, que empecé a ir en bicicleta. Madre decía que ya se le pasaría, pero con los años se ha puesto más y más retorcido.

¿Has visto alguna vez a alguien que por puro aburrimiento se dedica a quemar moscas poniendo una lupa al sol?

Pues yo me siento como si Tyler fuera el sol y yo la mosca.

Un día llego a la cooperativa y veo atracar un gran barco deportivo. Si hubiera sido el *Fin Chaser* ni me habría acercado, pero no lo era. Era un barco lujoso que no había visto antes. Hay una multitud a su alrededor. Todos están boquiabiertos, así que amarro la chalana y me acerco a ver.

—No te pierdas esto —dice uno que da un silbido—. ¡Cuatrocientas diez libras de pescado!

El capitán tiene una hielera enorme abierta de par en par para que la gente se acerque y admire su pieza. Es un atún rojo gigante como los que arponeaba padre. Siete pies de largo y hecho para ir a toda velocidad.

—¡Fíjense qué hermosura! —dice el capitán, exhibiéndolo como si fuera un bólido—. ¿Se han fijado en el tamaño de la cola? El atún rojo puede dar treinta coletazos por segundo. El ojo humano no es capaz de captar un movimiento tan rápido. Eso es lo que se llama turbo propulsión. Y miren las aletas dorsales. Las puede plegar en esa hendidura para disminuir el rozamiento e incrementar su eficiencia biomecánica. Hasta tiene unos párpados especiales para deslizarse más rápido por el agua. Las agallas tienen un sistema de ventilación especial para incrementar el oxígeno en la sangre. Su corazón es un prodigio de fuerza y velocidad que se traduce en una potencia exorbitante. Es de sangre caliente, o sea que es rápido. ¿Cuánto? El atún rojo supera las cincuenta millas por hora. Puede dar saltos de quince pies de altura. Es capaz de nadar dos mil millas para alimentarse de una especie de pez determinada en una época del año determinada. Cuando el Señor creó los peces, encarnó su idea de la perfección en el atún rojo. Es el pez por antonomasia. ¡El rey de los peces! ¡El monarca de los siete mares!

A todos nos sorprende todo lo que sabe el capitán —un tipo alto, delgado y tostado por el sol—, pero él no le da importancia.

—¡Eh, que conste que no soy un experto! ¡Todo eso está en Internet, al alcance de todos!

—¿Cuántos ha pescado este año? —pregunta uno.

—¿Que cuántos? Es el primer atún que pesco en toda mi vida.

—¿Lo dice en serio?

—Más en serio que un infarto de miocardio.

—¿Y cómo lo ha pescado?

—De pura suerte —reconoce—. Yo iba por bacalaos, a fondo, no lejos de la plataforma de Jeffrey, y de pronto se nos echaron encima no sé cuántos atunes. Llegaron persiguiendo un banco de caballas. ¡Menos mal que tenía el carrete grande a bordo! Arrojé el anzuelo con un trozo de carnada y ¡*fuam!*, se lo llevó por delante como una locomotora. Lo único que hice fue aguantar y aguantar hasta agotarlo. El pez hizo todo el trabajo.

Nos muestra la estupenda vara y el carrete con los que cobró el atún.

—¡Caray! Le habrá costado un ojo de la cara.

El capitán se encoge de hombros, como si le diera vergüenza decir el precio.

—No son baratas —dice—. La vara me costó mil pavos y el carrete otros quinientos, pero ya lo creo que los valen.

Cuando se dispone a narrar de nuevo el lance a los que han llegado tarde, aparece el Sr. Nagahachi, un comprador de pescado.

Es un japonés bajito y risueño con el pelo negro y brillante. Ya lo había visto otras veces mirando atunes, cuando padre los pescaba a arponazos. Lo que hace es sacar un par de muestras de la carne para analizar la calidad, luego usa un pequeño instrumento para medir su contenido de grasa. Así es como fija el precio. Si decide comprarlo, lo embala en hielo y lo envía urgente a Japón para que llegue a tiempo a la subasta del día siguiente en la lonja de Tokio.

A los diez minutos, el Sr. Nagahachi le dice al capitán que le compra todo el pescado a dieciséis dólares la libra en efectivo o con un cheque certificado.

Son seis mil quinientos sesenta dólares por un pescado capturado de casualidad, como quien dice.

En el embarcadero hay un enorme revuelo por cuenta del atún. No es la primera vez, ni mucho menos, pero nos sigue pareciendo increíble que un pez cueste tanto sólo porque al otro lado del planeta haya gente a quien le guste comerse pinchitos de pescado crudo y arroz dulce.

—¿Sabes qué es esto? —dice uno—. Es como ganar la lotería, sólo que más divertido.

—No te hagas ilusiones, George —le dice su amigo—. Ese barco cuesta medio millón de dólares, tirando por lo bajo. Y ya has oído lo que le ha costado la vara y el carrete.

—¿Quién dice que tengas que gastarte tanto dinero? —le contesta el tal George—. Según él, ni siquiera había salido por atunes. El pez se acercó al barco y pidió que lo pescaran. ¿No te das cuenta? Ha sido como encontrarse dinero en la acera.

—¿Entonces por qué no lo haces tú, George? Búscate un barco y sal por atunes.

—Quizá lo haga —dice George—. El año que viene.

—Lo sabía —le dice su amigo con una sonrisa burlona—. Mucho ruido y pocas nueces.

Me quedo esperando hasta que la multitud empieza a aburrirse y a marcharse, y hasta que el Sr. Nagahachi empaca el atún en hielo y lo carga en su furgoneta para llevarlo al aeropuerto.

—Disculpe, señor —le digo—. ¿Puedo hacerle una pregunta?

El Sr. Nagahachi sonríe y se me queda mirando como si le sonara mi cara.

—¿Pagaría la misma cantidad por un atún mañana? ¿O pasado? —le pregunto.

—Según el pez —dice—. A veces más y a veces menos.

—¿Cuánto menos?

—Ocho dólares la libra por los más flacos. Dieciocho la libra por los más gordos.

—¡Gracias!

—Oye, ¿y Skiff Grande? Porque tú eres su hijo, ¿no?

—Está jubilado, digamos. Al menos de momento.

—¿Jubilado? ¿Tan joven? Es demasiado joven para jubilarse. Skiff Grande, gran arponero. Siempre traía los atunes más gordos y sabrosos. Mándale saludos.

—Se los daré —le digo.

Y estoy dispuesto a hacerlo, pero al llegar a casa me lo encuentro dormido en el sofá y rodeado de otra remesa de latas de cerveza vacías. No digo que en su día no haya sido el mejor, como dicen por ahí, pero ahora no podría cobrar un atún ni aunque le saltara a los brazos.

Empiezo a pensar que quizá yo sí pueda.

15

La morada de los peces gigantes

Ese atún consigue enseñarme a ver las cosas de una manera muy distinta. Aunque llevo días sin parar de quejarme y de sentir lástima de mí mismo, puede que, al fin y al cabo, Tyler me haya hecho un favor. ¿Desriñonarme todo el verano cargando nasas? ¿Ganar dólares uno a uno? ¡Para qué! Lo único que tengo que hacer es capturar un atún descomunal.

De acuerdo, descomunal, descomunal, no hace falta que sea. Conque sea grande me basta. Quinientas libras o algo así, por ejemplo, no estaría nada mal. Los atunes pueden alcanzar las mil libras, pero no soy tan ambicioso. Me conformo con quinientas libras. Con un atún así ganaré mucha plata. Podré comprarme de todo. Lo primero será reparar el motor de la *Rose*. Aunque también me merezco una bici nueva, ¿no? Una bicicleta de montaña de las buenas, mejor incluso que la de Tyler. Y una aspiradora nueva para que no se ensucie tanto la casa. Y cortinas nuevas también, en todas las ventanas, como quería madre. Compraré todo lo que nos haga falta.

Si te pones a pensarlo, es increíble. Un atún rojo me va a cambiar la vida. Quizá también cambie la vida de padre. Espera a que oiga el motor de la *Rose* burbujeando en el embarcadero; seguro que le despierta el deseo de pescar y de empezar a comportarse como una persona normal. Yo y él seremos socios y el pedolila de Tyler Croft no tendrá agallas para cortar las nasas de Skiff Grande. No, señorito, a menos que quiera vivir un día más.

Un pez, eso es todo lo que necesito. ¡Un pez bien gordo!

Es la hora de la cena, pero la emoción me quita el apetito. Tengo mucho que hacer. Lo primero es ver cómo andamos de sedal. Hay una cubeta de sedal grueso en el cobertizo que no tiene mala pinta. La saco y empiezo a desenrollar el sedal caminando de arriba a abajo por el embarcadero. Hay unos seiscientos pies en total. Más que suficiente. Tardo más de una hora en volver a enmadejarlo en la cubeta tal y como hacía padre cuando arponeaba atunes.

Y eso es lo que voy a hacer, arponear un atún rojo y cobrarlo. Uno tan gordo y sabroso que el Sr. Nagahachi se echará la mano a la cartera nada más verlo. Uno que en este preciso instante está surcando los mares, esperando a encontrarse conmigo. Un gran pez que lleva escrito mi nombre. *¡A ver si me cazas, Skiff Beaman!*

En todo caso, lo primero es lo primero. Tengo una madeja de sedal grueso y enrollado en la cubeta. Luego tengo que amarrar un barril al sedal. Así es como se hace. Clavas el arpón al atún. Un extremo del sedal va amarrado al barril y el otro a la punta del arpón. Cuando se acaba el sedal, el barril hace de boya y el atún lo lleva de aquí a allá hasta quedar sin fuerzas. Luego no hay más que sacar el barril, y tirar y tirar hasta sacar el gran pez. Coser y cantar.

Tardo otra hora, más o menos, en encontrar un barril del tamaño adecuado. Ni demasiado grande ni demasiado pequeño. Si te pasas de grande, se soltará la punta del arpón. Si te pasas de chico, el atún tardará demasiado tiempo en cansarse. Le he oído decir eso a padre muchas veces. Tiene que ser del tamaño perfecto. Y ahí lo veo, el barril perfecto asomando por detrás del cajón de las herramientas.

Arrastro la cubeta con el sedal y el barril por el embarcadero y los bajo a la chalana. Aún no sé qué usar a modo de arpón. Ya veremos.

Ahora toca el combustible para el fueraborda. Agarro un par de latas vacías, voy a la gasolinera, las lleno hasta arriba y regreso a casa. Una milla a pie ida y vuelta. La vuelta se hace más pesada con esos latones llenos colgándome de los brazos. Tengo que hacer dos viajes para llenar los dos depósitos de combustible. Ahí se va otra hora y media.

Carnada. Saco mi último cubo de salazón de arenque de la nevera del cobertizo y lo pongo en el asiento central de la chalana. Quizá me sea útil si tengo que tirar brumeo, que son pedazos de pescado triturado que ponen el olor de la comida en el agua.

Cuando vuelvo a la cocina y termino de hacerme una pila de sándwiches de mantequilla de maní y jalea, ya es de noche cerrada. Entre las provisiones para la expedición también pongo un galón de agua.

Aún no tengo hambre, pero acabaré teniéndola, y en un momento dado no hay nada mejor que un buen sándwich de mantequilla y jalea.

Una vez resuelto lo de las provisiones, me asomo a ver a padre. Aún duerme como un tronco. Apago la tele y recojo las latas con mucho cuidado para no despertarlo.

Él se recuesta hacia el otro lado y gime.

—¿Rosc? —murmura—. ¿Eres tú?

Al instante vuelve a roncar.

Pienso que lo correcto sería dejarle una nota diciéndole a dónde voy y para qué, pero me doy cuenta de que eso sería la mayor tontería del mundo. ¿Y si se despierta en una hora y lee la nota? Seguro que trata de detenerme o que me azuza a los guardacostas. O sea que por hache o por be, adiós pez. Adiós cheque del Sr. Nagahachi. Adiós reparación de motor, adiós bicicleta nueva, adiós todo.

No me puedo arriesgar.

Me quedo en el embarcadero hasta que reposa la marea. Nos vamos. Sé muy bien qué tengo que hacer para conseguir un arpón, pero me da tanta vergüenza que prefiero actuar sin pensar en ello ni un minuto más.

Cuando estoy a punto de soltar amarras, me acuerdo de la brújula. Nunca me hizo falta para pescar langostas porque en el marisqueo nunca dejas de ver la costa. Otra historia muy distinta es salir a mar abierta en plena noche. Hay que saber para dónde queda el este.

—Hola, Rose —le digo—. ¿Te importa si subo a bordo?

La *Mary Rose* se mece un poco al notar mi peso. Ya sé que los barcos no están vivos de la misma manera que lo están las personas, pero a veces tengo la sensación de que ella me tiene igual de calado que yo a ella.

—Rose, ¿te importa que me lleve tu brújula? Prometo devolvértela sin un rasguño.

A Rose le parece bien, así que desatornillo la brújula y la atornillo en el asiento de en medio de la chalana. Mucha brújula para tan poco barquito. Con una brújula así podrías gobernar la chalana hasta Portugal, pero yo no voy tan lejos. Salgo unas treinta millas, más o menos. Treinta millas parece un señor viaje para una chalana de diez pies, pero comparado con Portugal no es nada.

Treinta millas a mar abierta. Treinta millas a donde viven los grandes peces. Treinta millas al final del arco iris y al arca de plata. Treinta millas en una cáscara de nuez, en plena noche y solo.

Cuanto antes zarpe, mejor.

16

El bandido sonrojado

JUSTO antes de trasponer el recodo de la ría, apago el fueraborda y saco los remos. Bogo despacio y en silencio hacia el tramo siguiente. Lo último que querría en este mundo es que el Sr. Woodwell me descubriera. No es que vaya a hacerlo. En su casa todas las luces están apagadas. Será que los abuelos como él se acuestan temprano. ¿Y si estuviera sentado en el porche a la luz de las estrellas?

Me lo imagino mirándome desde el porche, preguntándose qué estaré tramando, colándome en lo suyo como una alimaña. Son cosas de la imaginación, claro. Lo más seguro es que esté dormido, soñando con los barcos que ha construido. Además, no ve muy bien que digamos. Ahora debe de estar en otro mundo. Al menos eso sería lo razonable.

De todas formas, y por si las moscas, me acerco desde el lado más apartado del embarcadero, desde donde no se ve el porche. Arrastro la chalana hacia la orilla y meto los pies hasta los tobillos en el agua fresca. Me quedo escuchando unos instantes. Hasta los pájaros se han ido a dormir. Sólo se oyen los grillos y las ranitas silbadoras y el rumor de la cálida brisa del verano.

Tomo una gran bocanada de aire y lo dejo salir poco a poco.

Siento un rubor caliente en las mejillas. Me pasa cada vez que voy a hacer algo malo. Recuerdo el día en que madre me pilló metiendo la mano en el tarro de las galletas. Me puse tan colorado que desde aquel día me llamó por un tiempo El Bandido Sonrojado. ¿Y sabes qué? Hubiera preferido que me diera unos azotes a que se riera de mí. Aquello hizo que la galleta me supiera a rayos. Luego me subió y dijo algo que me hizo sentir mejor. No recuerdo muy bien qué fue porque sólo tenía cuatro años, pero si lo dijo madre seguro que fue algo divertido, cariñoso y resalado.

Siento un mosquito en el cuello. Lo estrujo en silencio. Salgo del cauce hacia el lado de fuera del cobertizo, que en la oscuridad parece más grande, como el castillo de un libro de cuentos. Los ventanucos de arriba parecen ojos que me vigilan y los portones son una boca gigante.

Me digo a mí mismo que no sea tonto, que no es más que un viejo cobertizo para barcos. Un cobertizo vacío. No seas tan infantil.

Esta misión me tiene un poco distraído. A lo mejor es de la emoción, del miedo o de las dos cosas al mismo tiempo. Me acerco al cobertizo y me reclino en la pared de fuera. Las tablas son ásperas y huelen a lluvia y a madera vieja. Avanzo sin despegarme de la pared hasta alcanzar el gran pasador metálico de la puerta. Lo descorro y noto al instante el peso del portón. Noto que está dispuesto a abrirse y a dejarme pasar. Más que rechinar, las grandes y viejas bisagras suenan como un anciano que carraspea o como una voz grave que dice *ooooh, nooooo*.

Entro y cierro el portón. Vuelvo a tomar una bocanada de aire y noto el olor a virutas de madera, que es como un perfume verdoso que te acaricia la nariz y baja hasta la garganta, como un caramelo de menta.

Al principio se ve tan poco que siento como si me hubiera caído un suave manto de oscuridad sobre los ojos, pero pasados unos instantes, empiezo a ver los ventanucos de arriba y una pálida luz de estrellas. Sigo sin ver mucho, pero lo suficiente como para distinguir la pared más apartada. Cuando decido acercarme, arreo una patada a un caballete, dándole de pleno con el dedo gordo del pie, pero consigo tragarme el dolor.

Me lo tengo merecido por colarme en el cobertizo como un ladrón. Me digo a mí mismo que lo que me propongo no es robar, lo que se dice robar, pero entonces, ¿qué es?

Avanzo con la mano en la pared y voy tocando herramientas colgadas de escarpias, astillas, nudos resecos de la madera. Lo que busco está fuera de mi alcance, así que arrastro un caballete hasta la pared y me encaramo a él. Estiro el brazo hacia arriba, lo estiro tanto que apenas puedo respirar.

Ahí está, puedo tocarlo con las puntas de los dedos. El arpón de mi padre. Voy a descolgarlo con la idea de que es un arpón pesado, pero resulta ser muy liviano. Largo y ligero para que se equilibre dondequiera que lo agarres. Esa sensación extraña me marea, o algo, porque de pronto me veo tumbado en el suelo boca arriba y sin respiración. Pierdo el aliento por completo y tardo algún tiempo en recuperarlo, poco a poco.

Cuando ya empiezo a respirar normalmente, vuelve a asaltarme el temor de que me descubra el Sr. Woodwell. ¿Y si me pilla robándole el arpón? ¿Qué le diré? No se me ocurre ninguna buena excusa, pero sigo adelante con mi plan. Los peces están ahí afuera esperándome, así que decido dejar los sentimientos de culpa para otro momento. Puede que mañana o pasado sea demasiado tarde. No me queda más remedio que salir esta noche y estar ya allí cuando salga el sol, preparado para arponear el primer gran pez que asome la cabeza. Y para hacer eso, o tienes un arpón o no puedes hacer nada.

¿Pedirlo prestado? ¡Ni hablar! Si le digo al viejo que voy a salir a los caladeros de atún, es capaz de atarme a una silla y llamar a mi padre o algo peor. Así que me digo a mí mismo que el Sr. Woodwell sabrá entenderme cuando todo haya acabado. Cuando tenga mi pescado y el dinero y todo lo demás. Sobre todo, intento no pensar en lo ruin que es robarle al Sr. Woodwell, después de lo bien que se ha portado conmigo.

Al final no se despierta. O al menos no sale al

cobertizo a ver a qué viene ese relajo de puertas y trastazos.

Lo primero que veo al salir del cobertizo es una nube de luciérnagas centelleando como estrellitas sobre las afiladas hojas de la hierba, como si quisieran indicarme el camino de vuelta a la chalana. Eso tiene que ser una buena señal.

Bajo otra vez a la ría donde me espera la chalana. El arpón es más largo que el barco. Es tan largo que se sale por la proa como la insignia de un coche antiguo. Si se hace un arpón tan estupendo será para usarlo, ¿no? ¿Qué sentido tiene construir algo así para dejarlo colgado siempre?

Tan pronto como empiezo a bogar me olvido del Sr. Woodwell y me centro en el pez gigante. El gran atún rojo. Casi lo oigo hablar, casi lo oigo provocarme como un abusón en el patio de la escuela: *A ver si puedes conmigo, marisquerito. Ven por mí si te atreves.*

17

Las tres reglas de Skiff Beaman

Allá voy aguas abajo, totalmente envuelto en la oscuridad de la noche y ante la mirada atenta de los árboles, deslizándome por el agua negra como el betún. Aguas abajo, alejándome de nuestra casita donde padre sigue roncando en su sofá delante de la tele. Aguas abajo hacia el cauce grande de la ría, donde el agua es más brava y profunda. Aguas abajo por la ría hasta el puerto, donde el faro asoma desde una roca pelada como un gigante con cabeza de luz.

Lo único que se oye es el chapoteo del agua en el casco y el gorjeo del fueraborda. Y a mí, que voy silbando bajito para hacerme compañía.

A esta hora de la noche el único barco en movimiento es mi chalanita. Todos los demás barcos de Spinney Cove duermen anclados en sus fondeaderos. Me pregunto si los atunes rojos también duermen. Algunos peces duermen, pero otros tienen que seguir nadando. Puede que el atún rojo sea de los que nadan sin cesar.

Una vez le pregunté a padre cómo hacen los peces para ver en las profundidades, allí donde nunca llega la luz. Me dijo que los peces tienen unos nervios especiales debajo de la piel para ver la forma de las cosas que se mueven bajo el agua. Por muy poco que se mueva el pez chico, el pez grande lo ve como si tuviera ojos. "O sea, ¿como por arte de magia?", le pregunté. Padre se quedó pensando y dijo que no, que nada de magia, que simplemente es la manera en que la naturaleza le da ventaja a una criatura sobre otra.

Y entonces madre metió baza y dijo que la gran ventaja de los humanos es nuestro cerebro, así que úsalo o piérdelo, jovencito. Nunca dejaba de decirme eso, que pensara sobre las cosas, que me aplicara en la escuela, que leyera libros y todo eso. A veces la oigo en mi cabeza, "Enseña al mundo de qué madera estás hecho, Skiff Beaman".

Era casi imposible cruzar la cocina sin oírle decir eso o sin que me recordara las tres reglas. Sí, las tres reglas de madre. Regla número uno, sé listo. Regla número dos, di la verdad. Regla número tres, nunca te rindas. Las dos primeras siempre se me olvidan, pero si estoy aquí ahora es por la tercera. Y por cierto, ¿si para no rendirte nunca hiciera falta mentir? ¿Se anularía esa regla?

Dios te ha dado una cabecita, Skiff Beaman. Úsala.

De acuerdo, madre, hago lo que puedo. De verdad.

¿De verdad? ¿Acaso puedo esperar la verdad de quien acaba de robarle un arpón a un noble anciano?

No me ha quedado más remedio, madre. Nunca te rindas, ¿te acuerdas? Regla número tres.

¡No te pases de listo, Skiff Beaman!

No, madre.

Bueno hijo, escucha. Lo hecho, hecho está, pero ten cuidado.

Tendré cuidado.

¿Sabes bien a dónde vas y cómo llegar allí?

Sí, madre.

Quédate en el barco, pase lo que pase no te bajes nunca del barco. ¿Lo prometes?

Sí, madre, lo prometo.

La marea me lleva hasta pasado el faro.

Deja la luz detrás y sigue hacia la boya roja.

Eso fue lo que dijo padre la primera vez que me sacó en la *Mary Rose*. Me sentó en su regazo y me dejó llevar el barco hasta la boya. Siempre me daba instrucciones como esa, por dónde ir, de qué rocas alejarme, dónde estaban las señalizaciones de canal. Por eso sé para dónde tirar al salir del puerto. Treinta millas rumbo al este. Más sencillo, imposible. Derechito hacia el amanecer, ahí es donde me esperan los peces. Pan comido. Hasta el más tonto encontraría la plataforma. ¿Por qué no iba a encontrarla yo?

Al pasar la gran boya roja, la oigo suspirar. Es el aire que sube y que baja por dentro con el oleaje. Y aunque así lo entiendo, el gemido es casi humano, lastimero, como si la boya supiera que estoy cometiendo un error mortal. Quizá tenga razón, pero ya no puedo darme la vuelta. Ni hablar. Si lo hiciera, me pasaría el resto de la vida pensando lo que podría haber pasado y lamentándome de haber perdido mi gran oportunidad.

Piensa en el pez, me digo a mí mismo. No pienses en la inmensidad de la noche, ni en lo chica que parece la chalana, ni en lo asustado que estás. Es un miedo que sale de dentro hacia afuera, desde la boca del estómago a las puntas de los dedos. Es el tipo de miedo que te hace cosquillas por todo el cuerpo.

Piensa en el pez. Un pez grande y brillante como un faro, mostrándote el camino. Un pez grande que te va a cambiar la vida.

Un gran pez, un pez enorme.

Estoy tan concentrado en el pez que he desatendido la brújula. Por suerte es de las que brilla en la oscuridad. Fijo el rumbo en la *E* y me quedo ahí.

Confía siempre en tu brújula. Esa es otra de las cosas que decía padre. Confía en la brújula porque tu intuición vale de poco en la oscuridad de la niebla. Sin una brújula te pondrás a navegar en círculos nueve de cada diez veces. Si no le haces caso a la brújula, estás perdido sin remedio.

De cuando en cuando echo la vista atrás y cada vez que lo hago la baliza se ve más pequeña y más difusa. Al rato no es más que un destello en la frontera de la noche. Y luego desaparece del todo. Eso significa que al menos ya he recorrido cinco millas. Cinco millas mar adentro.

Me quedan otras veinticinco. Tardaré al menos tres o cuatro horas.

Coser y cantar. Pan comido. No hay nada que temer siempre y cuando me quede en el barco y confíe en mi brújula.

Aun así, no dejo de pensar en toda el agua, en la negrísima agua que me rodea. Un agua tan negra y tan profunda que te deja sin aliento. Tal cantidad de agua y por tantos sitios que te cuesta distinguirla del cielo, y el cielo del agua, o si estás bajando o estás subiendo.

No pienses en eso. ¿Qué importa lo profunda que sea el agua? Piensa en gobernar tu barco rumbo al este. Piensa en tu destino. Piensa en el gran pez. Piensa en todas las cosas que vas a hacer con ese dinero. Piensa en la *Mary Rose* como nueva, piensa en padre como nuevo, y en Tyler Croft con la estúpida canción de la letrina pudriéndosele en la boca.

Rumbo al este.

Rumbo al este.

Mantén rumbo al este y piensa en el sol naciente y en los peces saliendo de las profundidades.

Mantengo rumbo al este y cuando casi se me ha pasado el miedo, el fueraborda se detiene.

18

¿Dónde están las estrellas?

No hay nada que acongoje tanto como la sensación de un motor que se apaga. Estoy tan acostumbrado a su sonido que el silencio repentino casi me duele, pero lo malo no es el silencio. Sin un motor que impulse a la embarcación, la mar es quien toma el timón y hace contigo lo que quiere. En cuanto se detiene el motor, la chalana empieza a virar con el oleaje, damos vueltas como una hoja en un día de viento, mientras la aguja de la brújula vira de este a oeste y de oeste a este.

Esto me da mala espina, pero que muy mala.

Tiro del cordel de arranque, el motor amaga un poco y se apaga.

Vuelvo a tirar. Y otra vez. Nada. ¿Qué está pasando?

Pueden ser mil cosas. Una bujía en mal estado. Un cable roto. Un carburador obstruido. A lo mejor, después de tantos años, este desgraciado fueraborda ha decidido morirse precisamente ahora. La causa es imposible de detectar en esta oscuridad.

Estoy tan enojado y tan asustado que casi me pongo a llorar. He dicho *casi*. Se me ocurre comprobar el depósito de combustible, que es lo primero que tenía que haber hecho. ¡Seco como una piedra! Cambio el manguito al segundo depósito, aprieto el cebador y tiro de la cuerda pensando por favor arrancarrancarranca.

¡Qué delicia! Cuando estás solo en medio del océano, nada suena tan puro y dulce como un motor en marcha. En un minuto estamos de nuevo rumbo al este. Al este hacia el caladero. Al este hasta que salga el sol. Al este que es donde moran los grandes peces.

Miro hacia arriba deseando ver las estrellas, pero debe de haber niebla porque el cielo está tan negro como la mar.

No hay otra que fiarse de la brújula.

¿Seguro que esta es una buena idea, Skiff Beaman?
No lo sé, pero no tengo ninguna otra.

La regla número tres no significa que te juegues la vida, hijo. Tampoco se trata de eso.

Tranquila, madre, no pienso salir del barco.

De pequeño te daba miedo la oscuridad.

Y me sigue dando. No importa.

Si no dejaba encendida la luz de la lámpara, te despertabas llorando.

Entonces era un bebé.

Recuerda lo que te dije, ser valiente y ser tonto son dos cosas muy distintas.

Esto no es ser valiente. Lo único que estoy haciendo es salir de pesca.

Ten cuidado, Skiffy, cariño. Ese arpón es más grande que tú.

Tendré cuidado, madre. No voy a hacer ninguna tontería.

No es que mi madre esté hablándome de verdad. Lo que pasa es que cuando estoy solo, me salen las cosas que ella decía, porque sé muy bien qué hubiera dicho en cada situación, qué hubiera pensado y qué hubiera esperado de mí.

Una vez, cuando tenía seis años o algo así, me tiré

de bomba desde el embarcadero. Entonces el agua me cubría mucho y si no me hubiera pescado padre me habría ahogado. Cuando terminaron de secarme y tal, madre me preguntó que cómo me había pasado semejante idea por la sesera. Le dije que estaba aprendiendo a ser valiente. Y entonces fue cuando dijo eso de que ser valiente y ser tonto son cosas diferentes, y que para ser valiente primero hay que usar la cabecita y ser listo.

La vida es un don, decía cada vez que yo hacía unas de mis locuras. Como el día en que aposté que era capaz de bajar en bicicleta desde lo alto de Spotter Hill sin manos y con los ojos cerrados. La vida es un don que no puedes desperdiciar.

Así que aquí estoy, en medio del océano Atlántico, pensando en mi madre y rezando para que salga el sol de una vez. Pensando que cuando salga el sol todo irá bien. Cuando salga el sol habrá otros barcos, como yo, pescando atunes gigantes. Si hay algún problema, les haré señales con los brazos y enseguida vendrán a sacarme del apuro.

Como el día en que padre estaba faenando en el caladero con la *Mary Rose* y empezó a amenazar un temporal. Antes de que el oleaje se encrestara, padre decidió recogerse temprano, por si las moscas. Y entonces se rompió un manguito de refrigeración, se atrancó el motor y empezó a hacer agua. Dev Murphy lo vio y lo remolcó hasta casa, lo cual no es nada fácil con una mar tan bravía. La tormenta se cebó, y de qué manera, con los dos barcos. Se rompieron ventanas y equipos, y no se cuántas nasas cayeron por la borda. Cuando le pregunté a padre si tuvo que pagarle algo a Dev, me dijo que las cosas no funcionan así. Cada pescador pesca solo y para sí, pero cuando un hombre está en peligro en la mar, todos estamos en peligro. En esas vamos todos a una, y si hay que auxiliar a alguien no te paras a pensar en el costo, porque a lo mejor a la próxima es a ti a quien pilla la tempestad con una avería seria o en un barco que se va a pique rodeado de olas gigantes.

De momento, por aquí no se ve ni un alma. Ni un pájaro en el cielo. La verdad es que tampoco se le puede llamar cielo a esto. Es más bien como un techo de tinieblas. Sólo estamos la chalana y un servidor, el *trup trup* del fueraborda y el chapoteo del agua negra en el casco.

Pasado un rato se calma un poco el oleaje. Sólo se ve la brújula. Lo único que sé es que hay que mantener la flecha en la *E* y eso hago. De cuando en cuando enfoco con la linterna hacia fuera, pero lo único que veo es agua. Un agua negra y densa que engulle la luz.

Si te sientes solo, canta una canción. Seguro que sale una voz diciendo que te calles.

Lo mío no es cantar, madre. En eso no he salido a ti.

Vamos, Skiffy, canta, de verdad que no me reiré, te lo prometo.

Ahora no me viene ninguna canción a la cabeza.

Seguro que sí. ¿Te acuerdas de tu canción favorita, de cuando tenías cinco años? ¿La canción de la pesca?

De esa sí que me acuerdo, o de una parte al menos. *Mami va de pesca, papi va de pesca, yo me voy de pesca, ¡sí!* Padre me regaló una vara de pescar nueva por mi cumpleaños, pero no me la dio hasta que me aprendí la dichosa canción de pe a pa. El problema fue que una vez aprendida no dejé de cantarla. Madre me dijo, si la cantas una vez más se me van a caer las orejas. ¿Lo prometes?, le dije, porque eso de que se le caigan a alguien las orejas es algo que vale la pena ver. A madre le entró tal ataque de risa que padre tuvo que darle unas palmadas en la espalda. Cántala hasta reventar, dijo cuando acabó de reír. ¿Y qué pasa con las orejas?, le dije. Me gustan mis orejas, respondió tocándose los pendientes que padre le había regalado por su aniversario. Me gustan y creo que me las voy a quedar. Anda, corre y vete a cantar por ahí.

Mi voz parece perderse en medio de este vacío tan grande, pero la canción me hace compañía. Que el océano sepa que estoy aquí.

—Mami va de pesca, papi va de pesca, yo me voy de pesca, ¡sí!

Suena mejor si acompaño el ritmo de la música dando palmas en el asiento. *Tunga, tunga, tunga.*

—Mami va de pesca, papi va de pesca, yo me voy de pesca, ¡sí!

El problema es que eso es lo único que recuerdo de la canción. Dice no sé qué de una caña de pescar y un bonito de ultramar, pero ahora no me sale. Lo mismo da, total no hay nadie que me vea hacer el ridículo. Aquí estoy, un niño en una chalana cantando una y otra vez una dichosa canción que ni siquiera recuerda. A lo mejor me estoy volviendo loco de pasar tanto tiempo solo en la oscuridad.

A lo mejor es cierto. Que esté loco, digo. ¿A quién si no a un loco se le iba a ocurrir sacar un barquito como este a plena alta mar? ¿En qué estaría pensando? Incluso cuando salga el sol no podré ver tierra. ¿Cómo me las voy a apañar para volver a casa?

¡Con la brújula, tonto! Deja ya de lloriquear. ¿Tienes una brújula, no? Una señora brújula, la de la *Mary Rose*, nada menos. Una brújula que la ha llevado de vuelta a casa hasta en los peores temporales. Captura tu pescado, Skiff Beaman, y luego media vuelta y todo al oeste. Derecho hacia el oeste y acabarás tocando tierra. Si la corriente se pone cabezona, a lo mejor no es el puerto de Spinney Cove, pero al menos será tierra. Véndele el atún al Sr. Nagahachi y podrás volver a casa en una limusina.

Yo, en una limusina. De sólo pensarlo me dan ganas de reír y así se me empieza a pasar el miedo. Agito la cabeza para despejarme y me doy cuenta de que estoy empapado en un sudor frío. Estoy calado hasta los huesos. Al menos eso es lo que creo al principio. Enseguida siento la humedad en el aire. Y es que no soy yo quien está sudando, es la mismísima oscuridad.

Niebla.

Por eso no veías las estrellas, zoquete. La niebla es

tan densa que se te derrite en la cara. Es una mala niebla. Una niebla que ciega. Una oscuridad blanca. O lo que aquí llamamos una auténtica niebla meona.

Sólo me queda rezar para que amanezca. Rezar para que el sol derrita la niebla y me devuelva la luz, porque si hay algo que me asuste más que estar perdido en la oscuridad es estar perdido en la niebla.

19

Un mundo de bruma

EL sol acaba por salir. Siempre acaba saliendo, ¿o no? Por mucho que nos parezca que la noche va a durar para siempre, el sol acaba saliendo. Lo que pasa es que esta vez el sol no toca la niebla. Es demasiado densa. Es una niebla tan densa que lo único que te deja ver del sol es su luz, un destello pálido y triste dentro de la bruma.

Padre dice que la niebla no es más que una nube que baja a la altura de los ojos. Será, pero las nubes son mullidas y hermosas, y la niebla no es ni una cosa ni la otra. La niebla es un fantasma que no te deja saber a dónde vas o de qué lado rompen las olas. La niebla engaña la vista. Te muestra siluetas de cosas imposibles, un castillo flotante, un barco pirata a punto de abordarte, cosas monstruosas de tus más terribles pesadillas.

De niño creía que la niebla la hacían los dragones. Seguro que lo vi en un libro, dragones escupefuegos, y lo que entendí fue que escupían niebla. Dragones con escamas de pescado y con un fuerte aliento a algas. Algo en mí sigue creyendo que cuando la marea trae niebla, hay un dragón por algún sitio escondido en la bruma. Un dragón capaz de chuparte hacia la niebla y dejarte allí para siempre.

¡Basta ya, zoquete! Deja de alimentar monstruos imaginarios y cosas que no se pueden tocar. Estás abromado, ¿y qué? Aún puedes ver tu barco y el agua que lo rodea, ¿no? Y dudo que puedas lanzar el arpón hasta donde te alcanza la vista. ¿Qué más necesitas, pues?

Pájaros, pienso. Lo que necesito son pájaros. Los pájaros son los que te llevan a los peces. Cuando los pescados se arremolinan a cebarse en la superficie, los pájaros los sobrevuelan y se tiran en picada sobre ellos. Los pájaros te permiten localizar peces a gran distancia. Padre dice que el hombre aprendió a pescar observando a los pájaros.

¿Pero cómo vas a divisar un pájaro en una niebla así? No se puede. Así de sencillo.

Pasado un rato empiezo a tranquilizarme un poco. No puedo hacer nada. Las cosas se han presentado así. Hay que conformarse con lo que hay. Tengo una pequeña chalana y un cubo de carnada y un arpón extraordinario. Seguramente el primer humano que salió de pesca sólo tenía un palo afilado o una piedra. Así que algo de ventaja tengo, ¿o no?

Pues claro.

Cierra el pico y pesca. Una vez vi a un turista que llevaba una camiseta con esas palabras. Tiene sentido. Empiezo a pensar que es ahora o nunca. Así que levanto la tapa del cubo de carnada, corto unos trocitos de salazón de arenque y los echo por un costado. Los corto muy finos para que se extienda el aceite de pescado. De lo que se trata es de atraer a los pececitos al bromeo para que luego lleguen los grandes a cebarse de ellos. A veces funciona, a veces no, pero no lo sabes hasta que no lo intentas.

Así que pongo manos a la obra, a chafar arenques y a cortarlos. ¿Niebla? ¿Qué niebla? Ah, *esa* niebla. ¿Te molesta? ¡No por Dios! Me encanta la niebla. Ojalá no escampe nunca. ¿Oye eso, doña niebla? Haga el favor de quedarse un rato más.

Cuando llevo casi una hora cortando arenques y echándolos por la borda, oigo saltar el primer pescadito que suena como un guijarro en el agua. No sé si ha sido mi imaginación, pero enseguida vuelvo a escuchar otro *¡esploink!* Y luego un montón de ellos, como un aguacero sobre un charco.

¡Ánimo, señores peces! Por aquí, dejen que el brumeo los traiga hasta mi barco.

Y al cabo de un minuto ahí está, la nerviosa silueta de una caballa a un dedo de la superficie. Es una caballa pequeña, de unas cinco pulgadas o algo así. Es lo que llamamos una caballa terciada. Luego aparece otra, y otra más, y al final llega un banco entero de ellas que suben escopetadas al tufo del brumeo, y riñen y se pelean por los cachitos de salazón que les he cebado.

Sonrío tanto que me duelen las mejillas. ¡Funciona! Y si son caballas y de este tamaño, significa que el caladero no debe de quedar muy lejos. Y es ahí, en el caladero, donde los grandes peces vienen a comer. El brumeo está a reventar de caballas. ¡Ven, atún! ¡El almuerzo está listo! Si me enseñas tu aleta, te enseño mi arpón.

El problema es que sólo tengo un cubo de arenque. Un cubo, no tenía sitio para más y ya he usado la mitad. Así que empiezo a cortar el arenque aún más fino y empiezo a echar menos cantidad. Lo justito para mantener un brillo aceitoso en el agua. A las caballas no les importa mucho, al menos al principio. Lo pasan en grande revolviéndose en el agua, lanzándose de aquí a allá como pequeños cohetes atigrados, lanzándose por los cachitos de arenque y agitándolos como perros de presa.

—Eh, pececitos, ¿por qué no aguantan un poco hasta que lleguen los grandes?

Esto de hablarles en voz alta es muy mala manía, pero oír mi voz me hace compañía.

—Por aquí, doña Caballa, has dejado un cachito. ¡Huy, rápido, rápido, que te lo quitan otra vez! ¡Ven, defiende lo tuyo! Rápido, cómetelo antes de que te lo quiten, o antes de que venga alguien y te coma a ti. Eso es. Ahí va otro. Cuanto más te alimentes, más crecerás. Cuanto más crezcas, más difícil será que te coman.

Intento hablar con un pez en particular, pero hay tantos y tan juntos que enseguida lo pierdo de vista. Es imposible distinguirlos. Y eso me hace pensar. ¿Serán capaces de distinguirse entre sí o pensarán en grupo? ¿Habrá peces más fuertes que abusen y se aprovechen de los más débiles? Seguro. Por lo que veo, es así con todas las criaturas, con los pájaros, con los perros, con los gatos y también con las personas, claro. Lo cual significa que Tyler Croft no es un personaje nada original. Viene de un linaje muy antiguo que se remonta a la molécula mezquina. Si el mezquino de Tyler oyera que hablo con los pescados en voz alta, se reiría hasta pasado mañana.

—¡Oye, tú! Pisst. Sí, tú, el payasito de motas claras.

Arrojo un cachito de salazón y me quedo mirándolo. El pescadito me mira, mira la molla de arenque, indeciso, sin saber si comérsela o salir pitando.

—Vamos, cómete tu almuerzo —le digo—. Y no te preocupes, la factura corre por mi cuenta.

El pescadito sale disparado, se traga la comida y vuelve como un rayo con los demás. El banco de peces está ahora detrás de la chalana, y se va alejando poco a poco a medida que se me acaba el arenque. Tengo que racionarlo al máximo, así que les doy lo justo para que se queden en la zona y nada más.

Adelante, Sr. Atún. ¿Es que no huele el brumeo? ¿No nota este alboroto de caballas? ¿Es que no tiene hambre?

Las caballas se quedan en el brumeo una hora más o algo así, y, *plop*, desaparecen en un abrir y cerrar de ojos.

Se marchan las caballas, y con ellas se van también mis esperanzas de encontrar un gran atún.

Me quedo en la niebla y me maldigo por idiota. Pero cómo se me puede haber ocurrido traerme sólo un cubo de carnada. ¿De verdad pensaba que iba a ser tan fácil? ¿Había pensado siquiera?

Respuesta: sólo he pensado en el dinero que iba a ganar por el pescado en lugar de preguntarme cómo lo iba a capturar. Como si todo consistiera en llegar puntual al caladero. Como si todos los días no salieran cientos de barcos y regresaran al puerto sin nada. Barcos grandes y modernos con grandes varas de curricán y carretes chapados en oro y sistemas de radar y radio y sonar, y galones y galones de carnada congelada. Si esos barcos vuelven sin nada, ¿qué vas a esperar de una chalana de madera contrachapada con un miserable cubo de arenque salado?

Pues nada de nada. Y eso es lo que he conseguido.

Así que aquí estoy, a la deriva en un mundo de bruma blanca, triste y deprimido, cuando de pronto escucho un chapoteo en el agua. Y esta vez no es una caballa de un palmo.

El chapoteo es tremendo.

20

Sin aliento

Lo primero que hago es agarrar mi arpón y ponerme
de pie en la popa de la chalana. Intento equilibrarme
con el arpón. Intento serenarme porque el corazón me
galopa de tal manera que me arden las orejas. Y todo
por un ruido en el agua. El impacto de un atún rojo
gigante contra el agua. ¿Qué otra cosa puede ser?

—Ven, pez —susurro.

Espero y espero durante una eternidad, pero no vuelvo
a oír nada. El arpón empieza a pesarme, así que me lo
apoyo en el hombro y trato de respirar con normalidad.
Escucho con los cinco sentidos, pero lo único que oigo
es el chapoteo del agua alrededor de la chalana.

A lo mejor me he imaginado el sonido por ahí atrás,

al otro lado de la niebla. A lo mejor de tanto desear oírlo, el cerebro me ha engañado. O a lo mejor ha sido un efecto de la niebla. A veces la niebla hace que un ruido lejano suene cerca. A veces oyes hablar a un hombre a tu lado y resulta que está al otro lado de la cala, en la otra punta del puerto. Pienso que seguramente ese ruido habrá llegado de una distancia de varias millas.

A lo mejor.

Luego empieza a brillar la niebla y me doy cuenta de que las orejas no me arden de nervios, es el sol abriendo un tragaluz celeste en la niebla. Jamás me había parecido tan bella la luz del día. El sol brilla y derrite el blanco de la niebla que empieza a deshilarse. Luego se levanta una brisa que empuja el muro de niebla a una media milla o más.

La mar no parece un lugar tan desierto bajo la luz del sol y hasta parece que cobra vida. Entonces compruebo que lo que brilla en el agua no es sólo el reflejo del sol. Hay algo ahí atrás, en lo que queda del brumeo. Algo se mueve a flor de superficie, como si quisiera saltar hacia afuera.

Me pongo a pensar a mil por hora. ¿Qué hago? ¿Bajo el arpón y arranco para acercarme? ¿O espantará el sonido del motor a lo que quiera que sea eso? Antes de tomar una decisión, un banco de caballitas estalla del agua y salta en todas direcciones. Es como una fuente de peces calientes y plateados a la luz del sol.

Ahora nadie las ha invitado a comer porque ahora la comida son ellas. Antes de que vuelvan a caer al agua, un atún enorme surge tras ellas y salta hacia el aire como un misil cazapescados.

¡Es un atún rojo gigante!

El pez se queda en el aire el tiempo suficiente para sentir el sol en sus escamas, y luego *¡blam!*, de vuelta al agua con la boca llena de pescado.

Nunca había entendido qué quería decir eso de "quedarse sin aliento". Ahora sí lo sé. El gran pez me deja sin aliento, se lo lleva y no me lo devuelve. ¡Caray! Treinta millas navegando en la oscuridad para ver esto. Atunes gigantes voladores. Padre ya me había contado historias de peces de quinientas libras que daban saltos de diez pies, como si los disparasen desde un cañón submarino. Peces que pueden pasarle a un barco por encima sin rozarlo. Peces gigantes con ganas de volar. Peces grandes cebándose de otros chicos con tal ansia que no ven al hombre del arpón.

Ahora sé que todas esas historias son ciertas.

Luego, mucho más cerca de la chalana, aparece una ráfaga pálida bajo el agua. La luz de la mañana ilumina a un pez enorme disparado como un torpedo a unos diez o quince pies de profundidad. Va tan rápido que enseguida lo pierdo de vista. Apenas se distingue la medialuna de la cola, de esa aleta capaz de propulsar al pez de cero a cincuenta en un santiamén. Me pregunto cómo me las voy a apañar para clavarle un arpón a algo tan veloz.

Los peces deben de haberme leído el pensamiento, porque uno sale del agua mucho más cerca de la chalana —un atún plateado, chorreando oro bajo la luz del sol—, pero cae al agua antes de que yo pueda pensar siquiera en agarrar el arpón, y no digamos arrojarlo.

Hay que estar preparado, ¿pero cómo vas a saber por dónde va a salir el próximo? ¡Allá! Otro gran atún, catapultado como una lancha de carreras, embiste al banco de caballitos y deja una estela a su paso. Este sale más cerca, así que lanzo el arpón con más ansia que puntería.

Penoso intento. El arpón sale ladeado y como que rebota al caer. Además de fallar, caigo a popa y me arreo un buen golpe en el codo, en el hueso dulce que le dicen. Cuando el codo deja de palpitarme de dolor, agarro el cabo y tiro de él hasta recuperar el arpón. Los atunes deben estar muriéndose de risa. ¿Has visto eso? Tienes menos fuerza que un mosquito asmático.

Cuesta creer que mi padre hubiera cobrado ocho monstruos de esos en un solo día. ¡Ocho en un día! Aún se habla de ello en el embarcadero del puerto, de la vez que Skiff Grande cobró ocho atunes y se compró una furgoneta, un collar de oro para su mujer y una bicicleta para el chico, todo en efectivo.

Una vez enrollada la cuerda, me vuelvo a levantar y aguanto el arpón a la altura del hombro. Estoy asomado al agua buscando estelas en lo hondo, tratando de averiguar por dónde saltará el próximo y deseando que al salir se ponga a tiro. Vuelvo a lanzar, este va mejor pero tampoco le acierto. O quizá le haya tirado a una sombra, quién sabe. Por todos los sitios siguen saltando caballas por el aire, como si las hubieran dinamitado por debajo. Los atunes rojos van ahora por lo profundo y empujan a las caballitas hacia arriba. Los atunes trabajan en equipo, media docena de ellos o algo así acorralan a las caballas y las comprimen en una bola grande. Luego se lanzan de abajo a arriba contra ellas como torpedos.

Me dan ganas de dejar el arpón y ponerme a mirar,

pero el deseo de cobrar un gran atún rojo es tan grande que casi puedo paladear el sabor de su sangre. Por lo que contaba padre, sé que la mejor forma de darles es cuando están justo debajo. Un tiro más o menos vertical, pero estos atunes no me lo están poniendo nada fácil. Es como si supieran hasta dónde puedo lanzar mi arpón, y se quedaran justo ahí, justo al límite de mis fuerzas. Se quedan ahí, destrozando a las pobres caballitas, como si no hubieran comido nada en meses y temieran no volver a comer nunca más.

Saco los remos y le doy la vuelta a la chalana. Quiero ponerme de pie en la proa para lanzar mejor y no enredarme con el sedal. Sujeto el arpón muy alto y sigo oteando en busca de estelas submarinas. Los tengo ante mí, saltando por el aire y cayendo de cabeza, poniéndose morados de caballas, justo donde yo no llego. Consigo ver una estela, pero desaparece tan rápido que no puedo ni levantar el arpón.

A pesar de todo sigo lanzándolo, incluso cuando no veo nada. Lanzo, deseando que la fortuna ponga un pescado en la punta del arpón. Un arponero tiene que ser bueno, pero su mejor aliado es la suerte, dice padre. Si la suerte no acompaña un poco, no sirve de nada.

Lanzo y lanzo hasta no poder más. Hasta que el brazo se me queda agarrotado y adolorido y no me quedan fuerzas ni para levantar el arpón por encima del hombro.

Y como si los atunes supieran lo cansado que estoy, vuelven a dar una nueva pasada a las caballas que saltan a borbotones y, sin más, desaparecen. Es increíble lo rápido que sucede. Los tienes por todas partes y en un segundo la mar se queda callada, como si los peces nunca hubieran estado allí. Como si todo hubiera sido un sueño.

Una pesadilla, más bien. Tenerlos tan cerca y no haber cobrado ni uno. Tanta emoción me ha dejado seco. Siento como si estuviera en un ascensor, bajando, bajando. ¿Y ahora qué hago? No puedo pensar. Es como si la niebla me hubiera entrado en el cerebro y me hiciera verlo todo borroso.

Tranquilo, antes que nada siéntate, no te vayas a caer. Ya estoy sentado, ahora qué. Tienes sed, ¿verdad? Pues bebe. Levanta la garrafa de agua hasta la boca y toma un trago. Bien. Eso no ha sido tan difícil, ¿verdad? De acuerdo, ¿qué más? ¿Has comido algo últimamente? ¿No? ¿Qué me dices de esos sándwiches de mantequilla que te has traído? Buena idea. Lo único es que las manos me tiemblan tanto que apenas puedo abrir la bolsa de los sándwiches. Me tiemblan porque estoy hambriento. No me he dado cuenta de ello hasta que el cerebro ha dicho "comida", y ahora me muero por llevarme algo a la boca.

Devoro dos sándwiches y los temblores desaparecen. Estoy a punto de zamparme el tercero, pero decido dejarlo para más tarde. Puede que aún tenga que estar aquí un buen rato. Imposible saber cuándo volverán los peces grandes. Si es que vuelven. Se me empieza a despejar la cabeza. Me doy cuenta de que lanzar tanto el arpón a los peces que no están a tiro es una estupidez. Lo correcto hubiera sido esperar a que uno se pusiera más cerca, aunque hubiera tenido que pasarme horas esperando. Con tanto lanzamiento, los peces han presentido el peligro y yo me he quedado con el brazo dolorido. Tienes que elegir tu momento. Padre siempre decía eso, pero no he comprendido lo que quería decir hasta ahora.

El desayuno me da sueño, así que decido dar una cabezadita ahora que puedo. Por qué no. El único despertador que necesito es el ruido de los peces zambulléndose. Así que me tumbo en la chalana, me pongo el chaleco salvavidas de almohada y me cubro los ojos con la visera de la gorra.

Vuelvo a estar en nuestro embarcadero. La niebla es tan densa que no puedo ver la casa. Oigo a padre y a madre hablando, pero no alcanzo a verlos. Me buscan, pero por alguna razón no puedo hacer ningún ruido. No puedo hablar porque estoy dormido. Claro, así dicho parece una tontería. Me refiero a que sueño que estoy dormido. La cuestión es que no puedo hacer ruido, no puedo despertarme, no veo a madre, ni a padre, ni la casa. Deseo tanto llamar a madre... pero no puedo. Es como si estuviera atado con cabos de bruma o algo así, y como si la niebla me hubiera entrado por la boca y me hubiera sorbido el habla.

Quiero decir, madre, padre, estoy aquí. Busquen, busquen y me encontrarán, pero sus voces se oyen cada vez más lejos hasta que me quedo yo solo en la niebla, y no puedo moverme ni hablar, y en ese momento la voz de madre se convierte en una bocina y me despierto.

Blaaaaaat. Blaaaaaat. Blaaaaaat.

Sirena de niebla. Algo se me viene encima.

21

Emerge el monstruo

CUANDO suena una sirena de niebla, lo correcto es devolver la señal. Así, el otro barco se hace una idea de dónde estás y vira en otra dirección. El problema es que no se me ocurrió traerme una sirena. Ni siquiera me pasó por la cabeza que pudiera haber niebla, una idiotez de mi parte porque si hay algo que abunda por aquí es la dichosa niebla. A lo mejor eso es lo que significaba no tener voz en mi sueño. Ahora da lo mismo, lo único que puedo hacer es quedarme escuchando.

Blaaaaaat.

Esa vieja sirena de niebla suena más cerca. Casi oigo el traqueteo de la sala de máquinas, pero ahora parece que el ruido del motor y los bocinazos se van desvaneciendo poco a poco. No tarda en llegar la estela del buque, que mece la chalana como si fuera una cuna.

—¿Cuánto llevas dormido?

Ese soy yo hablando solo. Y no sé muy bien qué responder porque tampoco se me ha ocurrido traerme un reloj de pulsera. Pensé que podría calcular la hora del día por la posición del sol, pero la niebla se nos ha vuelto a echar encima y no hay manera de saber cuánto ha subido. Eso sí, tengo la sensación de haber dormido mucho tiempo, y calculo que ahora debe de ser mediodía.

—Skiff Beaman, eres un verdadero idiota.

Toma esa. Casi me sienta bien decirlo. Decir la verdad en voz alta. Sólo un tonto habría hecho algo así. Salir a alta mar en una chalana de contrachapado sin otro pensamiento en la sesera que cobrar un gran pez. Como si no me quedara más sitio en la cabeza para pensar lo que haría en caso de niebla, o si no aparecía ni un atún, o si lo veía pero no podía capturarlo. Sí, al final me he topado con un montón de ellos. Y qué. No tengo ni el tamaño ni la fuerza suficientes para lanzar el arpón como Dios manda. Así que aquí sigo, a treinta millas de la costa, en plena niebla y con tan solo unos cuantos sándwiches de mantequilla de maní y un galón de agua. Ah, y una brújula por si decido rendirme y regresar a casa. ¿Rendirme, he dicho?

No vale la pena. Al fin y al cabo, mi hogar no es más que un padre frente a la tele con el trasero pegado al sofá, un barco sin motor y un niñito ricachón que se divierte humillándome y cortándome las nasas. Mi hogar es donde madre ya no está, por mucho que la sigamos notando en todas las habitaciones de la casa, porque padre y yo la extrañamos con locura y queremos seguir recordándola aunque duela, porque dejar de hacerlo sería como dejarla a la deriva. ¿Qué es mi hogar? Mi hogar es un embarcadero viejo y cochambroso, una vieja letrina con una media luna tallada en la puerta y un macizo de flores de color naranja chillón que madre llamaba "lirios de sanitario". Mi hogar es donde todo ocurre, lo bueno y lo malo, aunque últimamente todo haya sido malo.

Así que sigo tumbado en mi pequeña chalana, rumiando un sándwich pringoso y sintiendo lástima de mí mismo. Y en ese instante el agua dice algo.

Fiuuss.

Ahí está de nuevo. El sonido de algo cortando el agua. Y esta vez no se oye lejos. Está al otro lado del casco de madera, a varios pies de mi cabeza.

Fiuuss.

Ojo, me digo a mí mismo. Enderézate. Con cuidado. Que no se mueva el barco, no vayas a espantar lo que haya ahí fuera.

Me incorporo despacísimo y veo la punta de una aleta asomando por el borde de la proa. Una aleta de filo curvado como un alfanje. Una aleta radiante como un día de mayo. Una gran aleta que corta el agua en círculos alrededor de mi barco.

El arpón está colocado a lo largo, sobre los asientos, con la punta asomando por la proa. Tengo muy claro lo que hay que hacer, ¿pero puedo hacerlo? Hay que intentarlo. Ahora o nunca. No se permiten errores.

Estoy sentado, mirando a popa, y agarro el arpón con la mano derecha. Lo agarro con fuerza y me levanto despacísimo, casi manteniendo la respiración. Tengo que mirar a proa, así que empiezo a darme la vuelta. Ahora en silencio, callado como un ratón, me incorporo lentamente, me asomo al agua y veo el oscuro y húmedo ojo de un atún rojo gigantesco, tan cerca y tan vivo que oigo latir su corazón salado. Lo juro.

Tengo ante mí el pez más grande que jamás haya visto en mi vida. Más grande que yo. Más grande que mi barco. Más grande que cualquier atún que haya visto descargar en el embarcadero.

Levanto el arpón, pero me quedo paralizado. No quiero moverme hasta que la posición no sea perfecta, hasta que no esté listo para lanzarlo.

El pez mira el barco, lo juro. Es como si quisiera comprobar que el brumeo que ha cebado a las deliciosas caballas que tanto le gustan sale de aquí. ¿Es que aún puede detectar el aroma de la carnada? ¿Será eso? ¿En qué estará pensando? ¿Por qué le da vueltas a mi barco? ¿O es a mí a quien rodea? A lo mejor siente curiosidad por saber qué hace un muchacho en medio de la mar con una vara larga en la mano.

Me lo quedo mirando y compruebo que así, vivo y en medio del océano, un atún rojo parece mucho más grande que cuando está muerto en el embarcadero. Ahora siento su fuerza mientras nada alrededor del barco y lo hace mecerse con el *fiuuss fiuuss fiuuss* de su cola gigante asomando a la superficie. Aquel tipo dijo en el embarcadero que el ojo humano no puede apreciar la velocidad de la cola de un atún rojo gigante, pero este va tranquilo, avanza a coletazos lentos, como si quisiera presumir de su belleza y su poderío. *Mírame bien, hombrecillo. Mira bien a quién tienes enfrente, en la vida no has visto nada tan temible como yo.*

El gran atún es tan admirable, es tan hermoso que casi olvido mi misión. Casi. Es lo que mi padre llama "quedarse helado". Eso les pasa a veces a los arponeros. Se pasan horas esperando en el púlpito de proa, y cuando al fin aparece el atún, se quedan como estatuas. Es como si el pez te hipnotizara para salvar la vida.

Quedarse helado. Eso es un poco lo que le pasó a padre cuando madre murió. La única diferencia es que no está en un barco atunero, sino delante de la tele, varado en su tristeza.

Deja ahora de pensar en padre y en el sofá, Skiffy. ¡Concéntrate en el pez!

Madre tiene razón. Ya tendré tiempo de pensar en padre. Sin más, empuño el arpón con las dos manos y lo lanzo hacia abajo contra la parte más ancha del lomo. Hacia abajo con todas mis fuerzas. Hacia abajo con tanta fuerza y tanta rabia que me precipito hacia adelante y la cara me queda a media pulgada del agua. Y me quedo ahí, mirando y buscando y viendo agua y nada más que agua.

El pez desaparece. Se ha ido en un instante.

He tenido una oportunidad y la he desaprovechado. Otra vez.

Me echo hacia atrás, gimiendo y frotándome la rodilla de dolor; agarro el arpón y lo subo a cubierta. Entonces me doy cuenta de que no está la punta. Se debe de haber soltado al caerme. Lo que me faltaba. Si a un arpón le quitas la punta, ya no es un arpón. Entonces recuerdo que la punta está atada al sedal del barril. Menos mal. Lo único que tengo que hacer es tirar del sedal hasta recuperar la punta y volver a ponerla en la vara.

¿Quién sabe? Si sigo a la deriva durante otros cien años o algo así, quizás encuentre otro pez tan grande como el que se me acaba de escapar. En fin, el caso es que doy un tirón del sedal y pasa algo extraño. El sedal se me va de las manos.

Me asomo a la cubeta y veo que el sedal se desliza rápidamente hacia el fondo del mar.

Mi cerebro tarda unos instantes en reaccionar y comprender qué quiere decir eso de que corra el sedal, y entonces me pongo de pie y grito con todas mis fuerzas, ¡LO TENGO! ¡LO TENGO!

Nadie me oye, pero tengo que gritar, tengo que decirle a alguien, aunque sea a mí mismo, que lo he conseguido. ¡El gran pez está enganchado! Tiene la punta en el lomo y está bajando a lo más profundo, sacando el sedal de la cubeta. Estoy tan emocionado que vuelvo a caerme y me doy otro golpe en la espinilla, pero el dolor no me importa. ¡Dios mío, tengo un atún en el sedal!

Padre dice que lo primero que hace un atún rojo al sentir la punta del arpón es bajar a plomo. Y lo hace con todas sus fuerzas. Bajan al fondo y se quedan allí hasta que se dan cuenta de lo que ha pasado. Unas veces vuelven a subir a la superficie y empiezan a dar saltos, tratando de deshacerse de la punta. Otras veces, si el arpón está bien clavado, el pez se rinde y muere de golpe.

Mi pez no se ha rendido todavía. El sedal aún sale disparado, como si el pescado estuviera cruzando todo el océano. La cubeta ya está medio vacía y el sedal sigue corriendo. Miro la cubeta fijamente, preguntándome cuándo será el mejor momento de tirar el barril por la borda. Quiero comprobar si el barril está bien amarrado al sedal, pero no me atrevo, no hay tiempo. La suerte está echada.

Cuando quedan unos cien pies de sedal en la cubeta, me levanto para lanzar el barril. Es entonces cuando una aduja de sedal se engancha en la cubeta. Sin pensarlo dos veces, meto la mano para soltarla.

Gran error.

En un abrir y cerrar de ojos, la aduja se me anuda con fuerza en la muñeca. No tengo tiempo para soltármela. No hay tiempo para respirar ni para imaginar lo que se me viene encima porque en el instante en que el sedal se me ciñe a la muñeca, me veo arrastrado de cabeza afuera del barco.

Voy a parar al agua helada, hacia abajo. Arrastrado hacia lo profundo por un pez que me ha pescado. Por un pez que trata de matarme.

22

Un barril salvavidas

TODO pasa tan rápido que ni siquiera tengo tiempo para dar una bocanada de aire. Estaba tan tranquilo en el barco y al instante me veo bajo el agua, en un agua tan fría que me duelen los huesos, aunque eso es lo que menos me importa. En lo único que pienso es en soltarme el sedal de la muñeca y regresar a donde hay aire. El aire es lo único que me importa.

El agua fría me quema los ojos, pero puedo ver lo que tengo que hacer, más o menos. Veo el sedal anudado en la muñeca, seguramente cortándome la piel. Lo veo pero no lo siento. Lo único que siento es una explosión de pánico en los pulmones y un frío punzante clavado en la garganta. Así es como debe de sentirse un pez cuando lo sacan de su refugio acuático y lo sacan al aire, donde no puede respirar.

Suelta el nudo. Mi mente no se ocupa de otra cosa, "suelta el nudo".

Me agarro la muñeca y trato de meter los dedos por debajo del sedal, pero está demasiado tenso.

Piensa. Tienes que pensar cómo soltarte.

Sigo el sedal con la otra mano y trato de tirar de él, a lo mejor consigo tirar lo suficiente para aflojar el nudo, pero el sedal se me escurre entre los dedos, no puedo agarrarlo.

No tengo fuerza en las manos, empiezo a sentirme débil.

Se acaba el tiempo. ¡Se acaba!

Pataleo con fuerza para tratar de alcanzar la superficie, luchando contra el tirón sin tregua del atún.

¡Aire! ¡Necesito aire!

La superficie brilla en el techo del océano. Parece un espejo líquido y plateado. Es hermoso. Me salen burbujas de la boca, y suben y se confunden con la luz del espejo resplandeciente. Jamás he visto nada tan hermoso.

¡NECESITO AIRE!

¿Quién hace tanto ruido? ¿Qué es eso de gritar bajo

el agua? ¡Vaya estupidez! No se puede gritar bajo el agua, pedazo de zoquete.

Tranquilo. No te resistas. Abre la boca y respira. Eso es lo que más deseas. Algo habrá que respirar, ¿no? Quizá tus pulmones puedan sacar aire del agua, como los peces. Madre siempre decía que eras mitad pez, ¿no? Pues respira debajo del agua, demuéstralo.

Abro la boca. Intento respirar pero no entra nada. Tengo la garganta atrancada, como ceñida con fuerza por un aro de hielo.

¡SKIFF BEAMAN, NI SE TE OCURRA RESPIRAR AGUA!

Madre, tengo que hacerlo. Tengo que respirar algo. Sí. Sí. Sí.

No, no, no. ¡No te rindas! ¡Escucha lo que te digo! ¡Regla número tres! ¡Nunca te rindas! ¡Tienes la superficie justo encima de ti! ¡Sube, león! ¡Sube! ¡Sube!

Está muy lejos. No voy a lograrlo. No puedo más.

¡Inténtalo, Skiffy, inténtalo!

Sigo pataleando hasta que no me dan más las piernas. Quiero reírme. Me parece divertido que un pez ahogue a un hombre. Es lo más divertido del mundo. Me quiero reír, pero el hielo me ha bajado a los pulmones y reírse es doloroso. Un pez ahoga a un hombre. Vaya broma. Qué chiste tan bueno.

Regla número tres: nunca te rindas. Jamás.

Hay un destello de tinieblas. Estoy en una oscuridad cálida.

A dormir.

Me despierta una arcada de tos. ¿Me estaré ahogando? Tengo agua en la boca que me atraganta, pero también hay aire, aire de verdad. Estoy en la superficie en medio del oleaje. Sé que una voz me hizo despertar, pero no recuerdo lo que me dijo, ni cómo he llegado hasta aquí.

La presión en la garganta y la tos duelen más que ahogarse. Y además, el agua salada me quema los ojos.

¡CLONC!

Algo hueco me golpea en la nuca. Giro sobresaltado y veo el barril flotando a mi lado. Lo abrazo con fuerza. Trato de subirme, levanto los hombros hasta salir del agua. Estoy abrazado a ese barril con todas mis fuerzas. Trato de recuperar el aliento.

¿Qué ha pasado? Me cuesta comprender todo esto. A ver. La mano se me enganchó en el sedal, de eso me acuerdo. Y de verme arrastrado al agua. Quise soltarme, pero no pude. Quise tragar agua, pero tampoco lo conseguí.

Y entonces ¿por qué sigo vivo?

Cuando se me acaba de aclarar la visión, veo por qué. Ahí está, dando vueltas, entrando y saliendo de un muro blanco de niebla. Es el gran atún, que está dando vueltas a mi alrededor.

¿Sabrá que ha estado a punto de matarme y que luego me ha salvado la vida?

Quiero gritarle al pez, preguntarle dónde está la chalana, pero siento la garganta en carne viva.

El barco no debe de estar muy lejos. Quizá dentro de esa pared de niebla. Tengo que encontrar el barco pronto. Antes de que el frío acabe conmigo. Tengo el cuerpo tan adormecido que casi no siento nada del cuello para abajo.

El agua fría me está sorbiendo todo el calor y dicen que si la sangre se te enfría demasiado, terminas estirando la pata.

En el embarcadero del pueblo se cuentan historias de esas cada rato, de gente que cae por la borda y que la sacan muerta de frío. Dicen que en invierno, con el agua a punto de sacar cristales de hielo, el corazón deja de latir en unos diez o quince minutos. En verano supongo que será un poco más. Un par de horas quizás.

Quiero soltar el barril y salir nadando a buscar la chalana, pero estoy tan débil que casi no puedo ni mover los brazos. Además, el barril me mantiene a flote y me ayuda a recuperar las fuerzas. Y si me separo de él a lo mejor lo pierdo para siempre. ¿Y entonces qué?

Otro gallo cantaría si tuviera puesto el chaleco salvavidas. Entonces no dependería del barril. Sólo a un zoquete como a mí se le ocurriría dejar el chaleco salvavidas en el barco, debajo del asiento. De poco sirve un chaleco salvavidas si no te lo pones. Padre me lo ha advertido mil veces, y mira.

Ya es tarde para pensar en eso. Ya cometí el error. Tú procura mantener la cabeza sobre el agua. Procura que no se te escurra ese barril. Procura encontrar la chalana. Tampoco puede estar tan lejos. Viento no hay, así que lo único que la puede haber movido es la marea y la corriente, y esa marea y esa corriente también nos empuja al barril y a mí con la misma fuerza y en la misma dirección.

Muy lejos no puede estar. Mira bien a tu alrededor.

Puede que la niebla vuelva a levantarse. En cuanto veas el barquito te sueltas y nadas hasta él. Nadas a muerte, ¿no? Hasta entonces, ni sueltes el barril ni pierdas la esperanza.

Este frío y esta tiritona me hacen recordar el día en que murió madre. Llevaba mucho tiempo enferma y todos sabíamos lo que se avecinaba, pero nadie ni nada te prepara para algo así. Saber de seguro lo que va a pasar no lo hace ni un pelo más fácil. Y aun así no haces más que esperar un milagro hasta el mismísimo final. Y cuando va y se muere sin milagro que valga, es como si el suelo desapareciera y cayeras a un vacío sin fin.

Cuando al fin sucedió, lo único que se me ocurrió fue ponerme a correr. Primero en círculos, alrededor de su habitación. Luego corrí alrededor de la casa, arreando patadas a la estúpida nieve. Luego crucé la carretera y corrí hacia el bosque, me encaramé a un árbol y me quedé agarrado a una rama helada, viendo cómo llegaba y se marchaba la ambulancia. Vi llegar el auto del capitán Keelson y lo vi entrar en casa con su mujer. Luego salió padre con ellos. El capitán Keelson me llamó, dijo que regresara a casa, por favor, que fuera con padre, pero me quedé agarrado a la rama, deseando que aquello sólo fuera un mal sueño, deseando despertar y que madre estuviera bien, pero sabía que no era un sueño y que no volvería a verla nunca, que no volvería a escuchar su voz nunca jamás. Entonces ella dijo, *Skiffy, vete con tu padre.* Escuché su voz en mi cabeza, clara como la luz del día, y entendí que eso era lo que ella habría querido. Así que obedecí, bajé del árbol y regresé a casa; regresé y le dije a padre, no te preocupes que todo va a ir bien, me lo ha dicho madre, y él se me quedó mirando con tal tristeza en los ojos que me dolía respirar, y entonces se sentó en su sofá delante de la tele y se quedó ahí sin decir nada durante mucho tiempo.

No creo que padre pueda escuchar la voz de madre como yo, o a lo mejor la oye pero no la quiere escuchar.

Sigo agarrado al barril, pensando en mi madre, en mi padre, en nuestra casa y en la *Mary Rose*, y es entonces cuando la chalana sale de la niebla, cabeceando con el oleaje, como diciendo "¿qué tal?".

Al principio creí que me engañaba la vista, pero ahí está, vivita y coleando, y hasta alegre de haberme encontrado.

Me quedo agarrado al barril, no sea que a la chalana le dé por desaparecer en la niebla. Pienso que a lo mejor es un truco para hacerme soltar el barril, pero la chalana sigue acercándose más y más, y cuando casi puedo tocarla, suelto el barril y consigo subirme a bordo, pataleando como un loco.

Y entonces me quedo tumbado en cubierta, riéndome como un descosido de lo maravilloso que es estar vivo.

23

Trineo de Nantucket

No es el frío lo que me hace temblar. El aire del verano me templa enseguida. Tiemblo del miedo que he sentido mientras estaba en el agua.

En el embarcadero cuentan tremendas historias de pescadores que caen a la mar, pero siempre me han parecido cuentos de viejas, de esos que se cuentan alrededor de una fogata. Los cuentos de viejas dejan de serlo cuando te pasan a ti y entonces ya no parecen tan descabellados. Resulta que caerse de un barco es lo más fácil del mundo, le puede pasar a cualquier idiota.

Cuando dejo de temblar, me siento y miro hacia arriba. Niebla. Se ha empeñado en acompañarme.

Mi chaleco salvavidas parece una esponja empapada, pero me lo pongo enseguida por si las moscas.

Y eso me hace recordar el pez. Cuando agarré el barril estaba nadando en círculos, pero ahora el agua está plomiza, vidriosa, tranquila. Lo que está claro es que en la superficie no hay ningún gran atún. El barril sigue flotando en la superficie, al lado de la chalana. Eso significa que el pescado se las debe de haber apañado para soltarse. A lo mejor se le ha salido la punta o ha cortado el sedal. Te lo has ganado, pez. Pudiste haberme ahogado y no lo hiciste.

Me digo a mí mismo que está bien así, que lo acepte. Cuando uno ha estado a punto de ahogarse, no importa tanto haber perdido un pez, por mucho que cobrarlo hubiera sido lo que más deseaba en el mundo. Ahora veo las cosas con otros ojos, pero a pesar de todo, empiezo a buscar el arpón. Nunca se sabe cuándo puede asomar otro gran pez.

Busco el arpón y el arpón no aparece. Debió de haberse ido al agua conmigo.

Acéptalo, muchacho. Tendrás que pescar tu gran atún en otra ocasión. Ahora estás mojado y hambriento, sin carnada y sin suerte. Por fin llegó el momento de recoger y volver a casa. Así que me agacho por el barril, lo pongo debajo del asiento de alante y empiezo a tirar del sedal. Empiezo a enmadejarlo cuidadosamente en la cubeta, pensando en lo inofensivo que parece cuando no lo tienes amarrado a la muñeca y tirando de ti hacia las tinieblas.

Y en ese momento suelto el sedal como si me hubiera dado una descarga eléctrica. *Porque el sedal está vivo.*

¡El atún sigue ahí! Debe de estar justo debajo del barco, descansando de la paliza de arrastrarme hasta el fondo del mar. Y debe de haber recuperado fuerzas, porque ahora el sedal vuelve a salir disparado de la cubeta. Esta vez no se me ocurre meter la mano. No quiero ni acercarme. Ni siquiera me atrevo a tocar el barril; eso fue lo que casi me cuesta la vida cuando decidí arrojarlo por la borda. Supongo que el barril saltará por sí mismo cuando se acabe todo el sedal.

Vuelvo a equivocarme. La tensión del sedal hace que el barril se quede atrancado bajo el asiento de alante. El tirón es tan fuerte que la chalana se me va de los pies y me estampo contra el asiento trasero. La chalana se está moviendo. El pez emerge y hace sonar el sedal como una cuerda de guitarra a punto de partirse. Qué locura, el atún pesa más que la chalana y yo juntos, y aunque tiene una punta de arpón clavada en el lomo, le sobran fuerzas para tirar de nosotros.

Lo único que puedo hacer es esperar. Padre cuenta que en los viejos tiempos, cuando los hombres salían a cazar ballenas en pequeñas embarcaciones, a veces les daban lo que ellos llamaban un paseo en trineo de Nantucket. Eran arrastrados por la ballena arponeada que tiraba de ellos en su huida. Para aquellos balleneros de Nantucket, eso de ir a toda marcha en la estela de una ballena era más divertido que Disneylandia. Para mí no, que conste. Yo quiero que se detenga ya. ¿Y si hace zozobrar la chalana? ¿Y si me tira al agua y el barco vuelve a desaparecer en la niebla? Sí. Ahora llevo el chaleco salvavidas, y qué. Esta vez seguro que no sobrevivo al frío.

La chalana sigue deslizándose y dejando una estela tras de sí. La verdad es que ir tan rápido sin motor me asusta, por no decir otra cosa. Un atún rojo no es una ballena, pero sigue siendo más grande que yo y un millón de veces más fuerte, libra por libra. Pienso que lo mejor será sacar la navaja y cortar el sedal, pero algo dentro de mí dice lo contrario. Nunca te rindas aunque estés muerto de miedo. *Sobre todo* si estás muerto de miedo. Así que me espero agarrado con las dos manos, rezando para que todo salga bien. Dios mío, no dejes que me hunda. Y no dejes que se suelte la punta. Ni que se rompa el sedal.

Supongo que Dios tiene cosas más importantes que hacer que ayudar a un muchacho a pescar un pez, pero nunca se sabe. Como decía madre, no tienes nada que perder.

No sé cuánto ha durado este paseo. Lo mismo han sido diez minutos que una hora. Al final, el sedal empieza a aflojarse y la chalana va frenando hasta detenerse del todo. Busco al pez y ahí está, a unos cincuenta o sesenta pies, girando sobre sí mismo como si no supiera distinguir arriba de abajo. Su gran aleta afilada está ahora blanda y débil, y sangra a borbotones por el arponazo. Y me clava su ojo grande y húmedo, como diciendo, *mira lo que has hecho.*

He pescado montones de peces chicos, caballas y abadejos, y también bacalaos y lenguados, y hasta los he limpiado. Siempre sin ningún pesar, pero esto es otra cosa. Este pez me da lástima. Podría haberme ahogado, y aquí estoy, vivito y coleando, y ahora es él quien agoniza y todo por mi culpa; una criatura tan grande y tan hermosa y con tanta vida dentro que parecía imposible imaginarla muerta. Aun así, sabía muy bien lo que hacía cuando le clavé el arpón.

Entonces empiezo a pensar en lo que esto puede significar, si consigo arrastrarlo hasta la costa y vendérselo al Sr. Nagahachi. Motor nuevo para la *Mary Rose*. Nasas nuevas para reemplazar las perdidas. Algo lindo para mi padre, algo que lo haga sentirse como antes de que las cosas se torcieran. Pienso también en la cara de Tyler cuando me vea entrar en el puerto con un pescado realmente grande. Nueva bici, vida nueva, nuevo todo.

Cuando el pez deja de moverse, saco los remos y arrimo la chalana hasta donde puedo. Me acerco, pero voy preparado para recular, no sea que el pez siga teniendo ganas de pelea; pero se ha vaciado del todo. Las agallas apenas se le mueven, y su brillo va palideciendo.

Por lo que decía padre, sé que tengo que amarrarle un nudo a la cola. Si controlas la cola controlas el pescado. La cuestión es cómo hacerlo sin tirarme al agua, porque si hay algo que tengo claro es que no me voy a dar otro chapuzón. Ni hablar.

El pez gira sobre sí mismo y me mira. Su gran ojo oscuro se ha empezado a nublar, y el peso de la enorme cabeza empieza a tirar de él hacia el fondo.

Ahora o nunca, muchacho.

Aún me tiemblan las manos, pero no lo suficiente como para no poder sacarle una aduja al cabo. La arrojo al agua y se la paso por la media luna de la cola. No es tan difícil, pienso. ¿A qué venía tanto miedo? Y entonces el pez decide no rendirse.

Pega un enorme coletazo en el agua que me vuelve a empapar. El lazo se cierra y yo agarro el cabo mientras el pez sigue coleando con fuerza. Encajo los pies en los asientos de la chalana sin aflojar ni un segundo.

Una vez, en un *picnic* del 4 de julio, jugamos a tirar de la cuerda. Había dos equipos tirando cada uno de un extremo. El equipo perdedor era arrastrado a un barrizal. Era divertidísimo, a menos que el embarrado fueras tú. Madre decía que el truco estaba en saber cuándo soltar la cuerda para que los otros cayeran primero. Y aunque me aterra estar sujetando al gigante con una cuerda, más me asusta soltarla. Si cedo una sola pulgada, meterá la cola en el agua y entonces no habrá quien lo detenga. No sería la primera vez que me pasa y no me apetece repetir. Así que sigo sujetando. Siento que el pez me descoyunta los brazos, pero yo aguanto. Aguanto con tal fuerza que siento el corazón al galope y la cara ardiendo.

Al fin, el pez deja de batirse, le da como un escalofrío y se detiene. Sigue vivo, pero no lo suficiente como para seguir luchando o para evitar que amarre el cabo a la cornamusa de popa.

Cuando al fin tengo el cabo bien firme, me doy un respiro y me pongo a pensar qué hacer a continuación. Le he dado mil vueltas a cómo pescar el gran atún, pero no se me ha ocurrido pensar qué hacer después. Es demasiado grande como para subirlo a la chalana, incluso si tuviera la fuerza necesaria para ello, que no la tengo.

Lo único que se me ocurre es arrastrar el pez a popa con la cola por delante.

Tengo los brazos tan cansados que apenas puedo tirar del cordel de arranque, pero el viejo fueraborda responde a la primera. Meto la marcha y giro el timón hasta clavar la flecha de la brújula en la O. Rumbo oeste. Siento el peso del pescado tirando de popa. El fueraborda renquea, como diciendo, ¿Qué es esto? ¿Qué has hecho? ¿Por qué pesa tanto la chalana?

He pescado un atún gigante, sí, señor.

Estarás orgulloso, ¿no?

Pues mira, sí, bastante. Estoy cansado y tengo frío y hambre, pero vaya que estoy orgulloso.

Mantén el rumbo, zoquete, no vayas a derivar al sur. Rumbo oeste. Clávalo. Derecho hacia la costa. Derecho a donde se acaba la mar. Mantén el rumbo, muchacho. Treinta millas hasta casa. Treinta millas hasta el Sr. Nagahachi. Treinta millas para vender el pescado y para que todo vuelva a su curso.

Y todo será perfecto.

24

Ángeles en la bruma

Una chalana de fondo plano como la mía no está hecha para arrastrar una carga tan pesada. El tirón del atún a popa hace que la chalana dé un estrochonazo. Eso es lo que pasa cuando el fueraborda trata de impulsar el barco hacia adelante. Como la carga es tanta, el barco se hunde un poco y luego sube con fuerza, pegando un tirón al cabo. Cuando pasa eso, el fueraborda hace un sonido extraño, como un gato viejo que trata de escupir una bola de pelusa. Esa situación puede ser peligrosa y hace que me preocupe de una ola que se nos acerca por popa.

Intento equilibrar la chalana cambiando el sentido

de la marcha y echando todo mi peso hacia proa, pero sirve de poco. Dudo que el gran pez y yo estemos superando las cinco millas por hora. Y si, además, está bajando la marea, y tiene toda la pinta, estamos avanzando bastante poco. Una milla o dos por hora.

Mala cosa.

Vamos, chalanita, pienso. Eres un barco de primera. Puedes hacerlo. Sigue hacia el oeste. Derecho a Spinney Cove. Derechito a casa. Lleva a este gigante al embarcadero antes de que el Sr. Nagahachi se marche a casa. Antes de que padre empiece a juntar cabos y averigüe a dónde nos hemos ido la chalana, el arpón y yo.

Me temo que las cuentas no me salen. A este paso tardaré quince horas en llegar a la costa. La carne del atún no va a aguantar tanto tiempo, ni siquiera metida en agua fría. Tendré que venderla para comida de gatos, a varios centavos la libra.

Entonces recuerdo que la marea cambia cada seis horas. Eso quiere decir que no tardará en venir de atrás, empujando la chalana hacia la costa. O a lo mejor la niebla acaba por levantarse y puedo llegar a un acuerdo con alguno de los buques atuneros fondeados en el caladero. Le digo que nos remolquen a mí y al pescado hasta el embarcadero a cambio de una parte de los beneficios. Me hace muy poca gracia tener que repartir el dinero, pero vale la pena si consigo un precio más alto por una carne de más calidad, digo yo.

Mientras hago estos cálculos, el motor empieza a renquear.

—¡Bueno, motor! No vayas a fallarme ahora. Llévame a casa y te compraré un carburador nuevo. Haré que te remocen y que te dejen como nuevo.

Aunque no lo quiera reconocer, el problema no es el motor. Es el combustible. Llevamos dos o tres horas de viaje y ahora va tirando de los últimos vahos. Le doy un meneo al depósito y el motor se recupera un poco, pero enseguida le entra una especie de ahogo, *pup, pup, pup,* hace un sonido seco y se acabó. No más fueraborda.

Ahora todo está en silencio. El rumor de la niebla. El susurro del agua en el casco. *Tunc,* el oleaje empuja el pescado contra la chalana. El pez le da un coletazo suave al casco, como queriéndome recordar lo que le he hecho. Sólo se oye eso y a mí, que he sacado los remos.

Siempre supe que llegaría este momento. Con pez gigante o sin él, la chalana no habría tenido combustible suficiente para hacer el viaje de ida y vuelta.

Sabía que al final me tocaría bogar las últimas dos o tres millas. Lo malo es que no me quedan dos o tres millas. Más bien son veinte.

Yo sé lo que es bogar aguas arriba y abajo, por la ría y por las inmediaciones del puerto, pero no treinta millas de golpe.

Calculo que si consigo llevar el pescado al embarcadero antes de que se eche a perder, cada milla recorrida me saldrá a mil dólares. ¡Mil dólares la milla! Eso me da ánimos para ponerme en marcha, a pesar de que desde la primera remada sé lo mucho que me va a costar conseguirlo. A cada golpe de remo siento el enorme peso del pescado tirando en sentido contrario. Además, está la complicación de darse la vuelta a mirar la brújula para no perder el rumbo y mantener el ritmo de las remadas con un peso tan tremendo a popa.

¿Tengo otra alternativa? No, señor. Me he metido en este lío yo solito y yo solito tendré que salir de él. No hay otra. Se dice que hubo hombres capaces de bogar cien millas en peor tiempo que este y sin comida ni agua.

Eso me hace recordar que tampoco tengo comida ni agua. Ojalá no me hubiera comido el último sándwich. ¡Anda que no me iba a venir bien! Tengo tanta hambre que me ruge el estómago. Me pide a voces huevos revueltos y salchichas y tostadas con jalea de frambuesa. Y luego una cama cálida y una almohada de plumas. O acurrucarme al lado de padre a ver la tele y olvidarme de todo lo que sea frío o húmedo.

—¡Oye! ¡Atún gigante! —le digo—. Anda, ¿por qué no ayudas y das un par de coletazos?

El atún gigante no contesta. De cuando en cuando mueve un poco la cola, pero ya apenas le quedan fuerzas y en poco tiempo se quedará quieto para siempre. Su enorme cabeza se mueve con las olas y en una crecida me mira con sus ojos grandes y lastimeros.

Tiro de los remos, y al hacerlo el cabo se tensa y hace que la chalana se detenga.

O doy con el ritmo adecuado o no llegaré jamás. Uno, dos. Uno, dos. Uno. Uno. Uno. El truco está en mantener siempre el cabo tenso. Y en no dejar de mirar la brújula. Te puedes jugar un brazo a que si no atiendes la brújula, acabarás bogando en círculos porque siempre se tiene más fuerza en un brazo que en el otro. Lo mismo pasa con un cazador perdido en el bosque, si no tiene una estrella que lo guíe o si no sabe que el musgo sale en la cara norte de los árboles, se pasará la vida andando en círculos.

Con una niebla tan densa no habrá modo de saber dónde queda el oeste hasta que llegue a tierra. Así que deja de pensar en tu casa, en el puerto y en la ría que conoces como la palma de tu mano. Deja de pensar en tu sed y en tu hambre. Piensa en bogar y solamente en bogar.

No pienses en cuánto te duele.

No pienses en tus ampollas reventadas.

No pienses en nada.

Uno.

Dos.

Uno.

Uno.

Uno.

Soy una máquina. Una máquina vieja y cansada que si se detiene no volverá a arrancar. Apenas sé dónde me empiezan los brazos y dónde acaban los remos.

Uno.

Uno.

Uno.

No pienses.

Uno.

Uno.

Uno.

Pasan las horas. Quizá sean días o semanas o meses o años, no estoy seguro, porque cuando sientes el cansancio en cada gramo de tu cuerpo, cuando todo te duele, el tiempo actúa de una forma muy extraña.

Es como cuando estás sentado en tu escritorio en la escuela. Son los últimos minutos de la última clase del último día de la semana, y estás esperando a que el minutero dé la hora en punto, a que suene el dichoso timbre. Esos últimos diez minutos de clases duran, al menos, una semana. Y esto es peor, mucho peor. Es como si cada minuto fuera una hora y como si cada hora fuera una eternidad.

Lo único que queda de mí es mi dolor y el movimiento de los remos. El pensamiento está oculto en algún lugar de mi mente y se niega a salir. ¿Para qué? Ahí fuera sólo hay hambre y dolor y sed y tristeza.

Uno.

Uno.

Uno.

La luz de la niebla cambia a un tono plomizo. Tardo

uno o dos años en darme cuenta de que el sol empieza a bajar. No he dejado de bogar desde entonces. Y no ha habido ni un instante en que haya tenido la sensación de avanzar a ningún sitio. Bogar contra la marea que empuja, bogar tirando de un peso muerto. Deslizándome sobre el mismo cuadrado de agua negra, a rastras con un pez gigante. Es como subir una cuesta empinada con botas de plomo, una cuesta que nunca alcanzas porque se va inclinando más y más, y las botas se van haciendo más y más pesadas.

Uno.

Uno.

Uno.

Quiero decirle al pez que me ha ganado, que me rindo. A cada golpe de remo siento que el pescado tira con más fuerza en sentido contrario. Él jamás se ha rendido. Me ha quebrado. Me ha ahogado en la niebla y en la oscuridad.

Uno.

Uno.

Uno.

La niebla es ahora niebla nocturna. Supongo que está refrescando, pero yo no lo noto. Qué raro, tengo las manos adormecidas desde hace rato, y al caer la noche las noto más calientes. Doy un tirón de los remos y las manos se me resbalan. Me caigo hacia atrás al fondo de la chalana.

Me llevo las manos a la cara y veo que están ensangrentadas, por eso se me han resbalado de los remos. Vuelvo a sentarme. Respiro hondo. Trato de despejarme, pero no sé si lo consigo. Hace rato que no tengo apetito, pero no comer me dificulta el pensamiento.

¿Qué hago? Resulta que sólo hay dos opciones. Cortar el cabo y deshacerme del pescado o buscar el modo de seguir bogando.

Cortar equivale a rendirse y eso significa romper la regla número tres, pero la número uno es ser listo. A lo mejor lo inteligente es cortar el cabo, pero ¿qué es más importante, no rendirse nunca o ser listo?

Mientras salgo de dudas, noto algo debajo del pie. Es la bolsa de los sándwiches y tiene algo. ¿Cómo puede ser? Hace mucho tiempo que me comí todos los sándwiches.

¿He dicho todos?

Hago un esfuerzo supremo por agacharme y agarrar la bolsa de plástico con mis dedos ensangrentados.

Abro la bolsa y me asomo. Que me lleven los diablos. Un sándwich enterito de mantequilla de maní y jalea.

Un lingote de oro macizo no me habría hecho más feliz.

Tengo las manos tan viscosas y me tiemblan tanto que tengo que rasgar la bolsa con los dientes. ¡Un sándwich! Sí, espachurrado y húmedo, pero y qué. Estoy tan hambriento que me lo zampo entero de un único y maravilloso bocado. Paladeo su sabor empalagoso y dulce. Todo un manjar. Incomparable.

Enseguida se me despeja la mente y se me pasa el tembleque. Ahora puedo pensar y tomar una decisión. Ahora puedo pensar sin rendirme, las dos cosas al mismo tiempo.

Me viene a la memoria el relato verídico que un día me contó el Sr. Woodwell. Antiguamente, los buques de pesca eran goletas, grandes barcos de madera con velas de lona que llevaban a los marinos mar adentro, a las pesquerías de los Grandes Bancos. Cada goleta llevaba varias chalupas, una encima de la otra, sobre cubierta. Cuando llegaban a las pesquerías, los hombres salían bogando en las chalupas a los bancos de bacalao y merluza.

Uno de ellos se perdió en medio de una tempestad,

en pleno invierno, y no fue capaz de encontrar su goleta. La tormenta se llevó todo su equipo excepto los remos. Sabía que las manos se le iban a gangrenar y que cuando eso sucediera, ya no podría bogar más. Sin pensarlo dos veces, metió las manos en la gélida agua, agarró los remos con fuerza y dejó que el hielo se las pegara a ellos de modo que le fuera imposible soltarlos. Y así volvió remando desde los Grandes Bancos, en aguas de Nueva Escocia, hasta Gloucester, Massachusetts. La gangrena le hizo perder las dos manos, pero consiguió llegar hasta casa para contar su historia.

Nunca se rindió. Hizo lo único que podía hacer para sobrevivir.

Lo que tengo que hacer es no dejar que las manos se me escurran de los remos. Así que corto dos trozos de cabo. Ato la mano izquierda al remo izquierdo y aprieto el nudo con fuerza.

Eso es. Ahora no puedo soltarla.

Atarme la mano derecha al remo derecho es mucho más difícil. Me cuesta tanto que se me saltan las lágrimas, pero al final consigo amarrarla fuerte con los dientes. Tengo ambas manos atadas a los remos. Imposible soltarlos. Imposible rendirme.

¿Listo?

Listo.

Uno.

Uno.

Uno.

Un día, casi al final, cuando madre estaba muy malita, me llamó a la habitación. Hablaba muy bajito, tan bajito que tuve que acercarme hasta olerle la enfermedad en el aliento. Daba igual. Quería estar así de cerca. Quería sentir sus débiles dedos acariciándome la cara como plumas.

Sé que aún eres un chico, Skiff Beaman, pero tengo un encargo muy importante para ti.

Claro, madre. Lo que haga falta.

Quiero que cuides de tu padre. ¿Me has oído bien?

Claro, madre. Cuidaré de padre.

¿Lo juras sobre un montón de panqueques?

Lo juro, madre.

La cosa es que lo hubiera hecho de cualquier manera. No hacía falta que me lo pidiera. Madre lo sabía, pero quería oírme decirlo para quedarse tranquila.

Pienso que sólo merece la pena seguir bogando para

cumplir esa promesa. Y si corto el cabo y dejo el pez atrás, podré llegar antes a casa. Tiene sentido. Sí que lo tiene, ¿pero cómo voy a cortar el cabo? Tengo las manos atadas a los remos.

Uno.

Uno.

Uno.

Un día salimos todos de *picnic* en la *Mary Rose*. La fondeamos al socaire de la isla de Boone. Madre puso un mantel a cuadros sobre la tapa del motor y sacó pollo frito en platos de cartón y ensaladilla y pepinos encurtidos, y de postre nos comimos la tarta de arándanos que hizo en casa la noche anterior. Comí hasta reventar y empecé a decir que había comido demasiado, que me había empachado. Madre me echó un discurso, me dijo que no está bien quejarse de comer demasiado, que es un insulto para la cocinera y para toda la gente hambrienta del mundo.

Me burlé de ella y tuve que pasarme el resto del *picnic* metido en la cabina. Cuando regresamos al embarcadero, madre se me acercó y me preguntó si había aprendido a sujetar la lengua. Le dije que no. Madre se me quedó mirando, meneó la cabeza y dijo, qué voy a hacer contigo. No me importa lo que hagas, le dije, me duele la barriga y a ti te da lo mismo. Madre me dijo que la mirara a los ojos y que le repitiera eso que había dicho, y claro que no pude decirlo porque no era verdad. Madre sonrió y dijo, eres un niño con tesón de hombre. Espero que algún día te sirva de algo.

Aquel fue nuestro último *picnic* en la *Mary Rose*.

Uno.

Uno.

Uno.

Después de que madre se enfermara, cuántas veces no habré deseado tener una máquina del tiempo para volver atrás y arreglarlo todo, para no haber dicho todas las cosas feas que le dije, para haber destruido lo que la enfermó, para no haber sido un aguafiestas.

Uno.

Uno.

Uno.

No siento los brazos. No siento las manos. Lo único que siento es el peso de la chalana, el peso del gran pez, el peso de la niebla empujando desde arriba. Siento que me falla el cerebro. Hay algo que no funciona y no sé bien qué es. Es como si estuviera dormido, pero cómo voy a estarlo si aún sigo bogando. Tengo los ojos abiertos como platos, pero la brújula está borrosa. ¿He perdido el rumbo?

Uno.

Uno.

Uno.

No puedo detenerme. Quiero rendirme pero no puedo. Miro hacia abajo y me veo a mí mismo tirando de los remos. Es como si estuviera flotando desde arriba, mirando a Skiff Beaman bogar y bogar. Y ese loco, ¿a dónde se cree que va? Me voy de *picnic* a la isla de Boone. Voy a arreglarlo todo.

Uno.

Uno.

Uno.

No veo la brújula. No veo el pescado. No veo la punta de los remos acariciando el agua. Lo único que veo es un gigante muy gracioso caminando a grandes pasos sobre la niebla. Es enorme y camina sobre dos largas piernas, largas y flacas, y tiene un halo resplandeciente sobre la cabeza. ¿Tienen halos los gigantes? No puede ser un gigante. Los gigantes no existen, ¿o sí? Debe de ser un ángel. Un ángel en la bruma con dos ojos luminosos.

Qué importa. Aún queda mucho por bogar.

Y entonces veo al ángel salir de la niebla y resulta que no es un ángel sino un barco, y el halo no es un halo sino un foco proyectado desde la torre del barco, y desde lo alto hay un hombre dando voces, pero no entiendo lo que dice, debe de ser un espejismo, pienso, una visión engañosa, y sigo tirando de los remos hasta que padre salta abordo desde el *Fin Chaser* y me lleva en brazos, con remos y todo, me lleva a dormir.

25

Clavado en la puerta

UN MUCHACHO ARPONEA
UN ATÚN Y ESTABLECE UN RÉCORD

Portland Press Herald —Samuel "Skiff" Beaman Jr., un chico de doce años, residente en la localidad de Spinney Cove, pescó a arpón el atún rojo más grande de esta temporada en aguas del estado de Maine. El atún de 900 libras se vendió a un precio récord, pero estuvo a punto de costarle la vida al joven Sr. Beaman. Después de arponear el tremendo atún y de amarrarlo a su chalana de diez pies de eslora, Beaman se quedó sin combustible y remó desde la plataforma de Jeffrey hasta unas cinco millas de la costa, cubriendo una asombrosa distancia de veinticinco millas en condiciones de visibilidad precarias.

La patrullera de los guardacostas, *Reliance*, y numerosos pesqueros de la región rastrearon la zona durante toda la noche en busca del joven arponero, hasta que este fue encontrado por su propio padre, Samuel Beaman, a bordo del *Fin Chaser*, una lancha atunera de Spinney Cove propiedad de Jack Croft. Según el propio Sr. Croft, el muchacho se encontraba gravemente deshidratado en el momento del rescate, después de pasar, según todos los indicios, más de doce horas remando sin interrupción.

El muchacho fue ingresado en el Maine Medical Center de Portland y fue dado de alta al día siguiente. Se espera que se recupere totalmente en breve.

Ese artículo está ahora en mi cuaderno de recortes, pegado a una fotocopia del cheque del Sr. Nagahachi. Es una lástima que no sacaran una foto del pescado. Todos estaban tan preocupados por mí que se les olvidó hacerlo. Padre dice que no me preocupe, que ya habrá más peces. Entre el tiempo que tomará reparar la *Mary Rose*, la vuelta a la escuela y toda la faena pendiente en nuestra casa, habrá que esperar, al menos, hasta el verano que viene.

Para empezar, padre acaba de pasar la aspiradora por la sala. Estamos haciendo una limpieza a fondo porque hemos invitado al Sr. Woodwell a cenar, y padre dice que por mucho que esté medio ciego, el viejo sabe distinguir la porquería de la porquería. Además, es un invitado de honor y tengo suerte de que no me haya mandado a arrestar por robarle el arpón.

El trato es que padre me ayudará a hacer un arpón nuevo para reemplazar el del Sr. Woodwell. Además, me va a tocar hacerle de secretario gratis al abuelete durante todo el tiempo que quiera. Como si eso me molestara, ¿verdad? Seguro que sabe que para mí no hay sitio mejor en el mundo que su cobertizo. Y nuestro barco, por supuesto.

También hay que celebrar que, además de arreglar a la *Mary Rose*, padre está yendo a reuniones que le ayudan a mantenerse sobrio. Dice que no le va mal del todo, que el truco está en ponerse pequeñas metas, y que la experiencia de buscarme aquella noche en medio de la niebla le indigestó la cerveza. De momento sigue sin probar gota. Ya veremos.

En cuanto a esa comadreja mentirosa de Tyler, juró y perjuró que no me había cortado las nasas. Su padre no le creyó y le quitó la Boston Whaler durante un año. Menudo castigo. Padre dice que Jack Croft no sabe qué hacer con Tyler y que seguramente desearía tenerme a mí por hijo. Lo dudo. La sangre tira mucho y, para bien o para mal, uno tiene que luchar con lo que le ha tocado, aunque metan la pata. Con los amigos pasa lo mismo. Padre dice que en la niebla encontró dos cosas, a mí y a su viejo compañero Jack, que arriesgó su barco sin pensarlo dos veces. Por un amigo de verdad, lo que haga falta.

Y eso me hace recordar el pez más grande del océano. El pez que estuvo a punto de ahogarme y que luego me salvó la vida; el mismo pez que me llevó de paseo y que no terminó matándome de milagro. El pez más grande de todos los mares fue enviado por avión al otro lado del mundo, y lo sirvieron en bodas y ceremonias y fiestas de cumpleaños de todo Japón, donde se conoce al atún rojo como *hon maguro* y donde dicen que su carne se te derrite en la boca y en el alma.

Lo envié todo, salvo la cola. La tengo clavada en la puerta de la letrina, muy alta donde todo el mundo pueda verla. Padre se ofreció a echar abajo la letrina para que a nadie se le ocurriera volver a cantar esa estúpida canción, pero le pedí que la dejara.

Ahí está bien.